弁理士になるには

なるにはBOOKS 40

藤井久子 著

ぺりかん社

はじめに

みなさんはお菓子《かし》のパッケージやテーマパークの広告で、商品名や施設名《しせつめい》の横にあるⓇ、あるいはＴＭという表示を目にしたことがあるでしょう。Ⓡは「登録商標」（Registered Trade Mark）を表し、ＴＭは登録しているかどうかに関係なく「商標」（Trade Mark）を示しています。「商標」は知的財産権のひとつで、こうした表示は他者に同じ名称やロゴをまねされないためのものです。「商標」は、製品やサービスの信用を守る役割があります。

発明者や開発者のアイデアを権利として守る知的財産権は、生活にかかわる製品全般《ぜんぱん》を生み出す原動力にもなっています。家電製品でも、ゲームソフトでもさまざまな「特許」「実用新案」「意匠《いしょう》」「商標」などが登録されています。

このように知的財産権は私たちの暮《く》らしのなかにたくさんありますが、なかなか実感できないのではないでしょうか。その知的財産権の専門家である弁理士という国家資格者がいることも、あまり知られていないようです。

弁理士は日本の近代化の始まりから、産業の発展を１２０年以上にわたり支えてきた歴史のある国家資格です。知的財産（知財）のなかでも産業財産権である「特許」「実用新案」「意匠《いしょう》」「商標」の登録に関する手続を代理できるのは弁理士だけです。弁理士は発明・開発された技術や仕組みのアイデアを、法律に従った手続きで権利にすることなどを業務としています。

さらに国際市場で日本企業《きぎょう》の技術開発の成果などを守り、競争力を高めるために海外での知的財産権の取得に尽力《じんりょく》しています。経済活動のグローバル化が進み、技術開発競争が激化《げきか》していることから、知的財産権は国際関係においても重要なテーマになっています。

弁理士は知財のスペシャリストとして、規模の大小を問わず、さまざまな企業《きぎょう》の開発努力の成果を権利化して、事業の収益に結びつける手助けをするパートナーということもできます。

弁理士資格をもつ人のほとんどが、年に一度行われる弁理士試験に挑戦《ちょうせん》し、合格した人たちです。学ばなければならないことは多いですが、弁理士試験は基本的に受験資格はありませんし、仕事の現場では男女の差がない、誰《だれ》でも挑戦《ちょうせん》できる魅力《みりょく》ある資格です。

読者のみなさんの将来には、たくさんの可能性があるでしょう。この本で弁理士の仕事について知ることが、何らかの形で役立つことを願っています。そして弁理士を志望する人がいれば、とてもうれしいです。

著　者

弁理士になるには　目次

【3章】

なるにはコース

※本書に登場する方々の所属、年齢などは取材時のものです。

[装幀]図工室　[カバーイラスト]ハラアツシ　[本文イラスト]レアグラフ　山本　州　[本文写真]取材先提供

「なるにはBOOKS」を手に取ってくれたあなたへ

「働く」って、どういうことでしょうか?

「毎日、会社に行くこと」「お金を稼《かせ》ぐこと」「生活のために我慢《がまん》すること」。

どれも正解です。でも、それだけでしょうか? 「なるにはBOOKS」は、みなさんに「働く」ことの魅力《みりょく》を伝えるために1971年から刊行している職業紹介《しょうかい》ガイドブックです。

各巻は3章で構成されています。

【1章】ドキュメント 今、この職業に就いている先輩《せんぱい》が登場して、仕事にかける熱意や誇《ほこ》り、苦労したこと、楽しかったこと、自分の成長につながったエピソードなどを本音で語ります。

【2章】仕事の世界 職業の成り立ちや社会での役割、必要な資格や技術、将来性などを紹介《しょうかい》します。

【3章】なるにはコース なり方を具体的に解説します。適性や心構え、資格の取り方、進学先などを参考に、これからの自分の進路と照らし合わせてみてください。

この本を読み終わった時、あなたのこの職業へのイメージが変わっているかもしれません。

「やる気が湧《わ》いてきた」「自分には無理そうだ」「ほかの仕事についても調べてみよう」。

どの道を選ぶのも、あなたしだいです。「なるにはBOOKS」が、あなたの将来を照らす水先案内になることを祈っています。

1章

ドキュメント 知的財産を守る弁理士たち

ドキュメント 1 アメリカ研修を経て活躍する弁理士

顧客の役に立つ仕事をして頼りにされるのがやりがい

特許業務法人《とっきょぎょうむほうじん》
快友国際特許事務所《かいゆうこくさいとっきょじむしょ》
椿《つばき》 和秀《かずひで》さん

椿さんの歩んだ道のり

1975年生まれ。同志社《どうししゃ》大学工学部物質化学工学科卒業。学生時代に資格の本を調べて、理系の知識を活かせる弁理士を知る。4年生で受験予備校に通い始め、卒業の1年後に特許事務所に入所。その翌年に弁理士試験に合格。その後、所属事務所からアメリカ研修に派遣《はけん》され、パテントエージェント試験に合格。現在は事務所の経営者の一人として活躍《かつやく》している。

海外の案件を扱《あつか》う

アメリカの弁理士に相当するパテントエージェントの試験に合格した椿和秀さんは、国内のみならず海外の案件も担当している。事務所の仕事全体では、日本国内での出願などが6割、海外の案件が4割だそうだ。海外の案件には、日本の顧客《こきゃく》の外国出願もあれば、海外の顧客《こきゃく》の日本での出願もある。海外からの依頼《いらい》は、相手国の特許事務所からくる場合と、企業《きぎょう》から直接くる場合がある。

権利化の手順は、国内でも海外でも基本的には同じだという。海外の案件の相手国はアメリカがいちばん多く、ついでヨーロッパ、中国だそうだ。いずれの場合もやりとりは英語のメールで行われるが、椿さんは「もともと英語が得意だったわけでもないし、今でも得意ではありません」という。とはいえ、仕事を通じて学び、身につけてきた英語力で文章のやりとりに困ることはないそうだ。

進路に悩《なや》んでいた学生時代

大学進学時に教師志望だった椿さんは教育学部に入学したが、「何か違《ちが》う」と感じて3カ月で大学を辞めてしまった。翌年、理系が得意だったことから工学部に入り直した。そして、教える仕事への関心から始めた塾《じゅく》講師のアルバイトが楽しくて夢中《むちゅう》になり、大学での勉強には熱心でなかったという。また、塾《じゅく》講師のバイト代で旅行することを楽しんでいた。春と夏にそれぞれ1カ月ほど、旅費や滞《たい》在費《ざいひ》の安いアジアの国々を巡《めぐ》るバックパッカーだった。さまざまな国の文化や異なる考え方にふれられたのは、貴重な体験だったとふり返る。

椿さんは大学2年のころからずっと、自分は何に向いているのか、何がやりたくないことなのか、自己分析《ぶんせき》をしていたという。それは将来に対する不安からだったのかもしれないし、卒業後の進路に悩《なや》んでいたともいえるのだろう。旅行はたいてい一人旅で、旅先でも考える時間はたっぷりあった。そして、自分はサラリーマンには向いていないのではないかと思うようになった。

自分に合った進路として弁理士に挑戦《ちょうせん》

一方で時代はバブル崩壊後《ほうかいご》の就職氷河期。実は椿さんは大学を留年している。「成績もよくないし、何か資格がなければ就職もできない」と考え、工学分野に関する資格を調べたら、技術士と弁理士のふたつだけだった。

技術士は実務経験のある人を対象にしたものだ。ならば弁理士しかないと、大学4年の時に弁理士の受験予備校に通い、基礎的《きそてき》なことを学んで、卒業した年に弁理士試験を受けた。合格率が10％に満たない難関であることはわかっていた。

「挑戦《ちょうせん》して3年のうちに合格したいと思って、最初の受験は雰囲気《ふんいき》を知っておこうという感じでした。もちろん成績はさんざんでした」

卒業後は就職せずにフリーターをしながら1年間、予備校の通信講座で受験勉強に真剣《しんけん》に取り組んだ。さらに弁理士の実務を学ぶため、特許事務所に就職することを決めた。学生時代に友人たちと「遊び歩いていた」という椿さんは、仕事以外の時間は勉強に専念しようと、友人の多い地元の大阪《おおさか》を出るために東京《とうきょう》、名古屋《なごや》、福岡《ふくおか》の事務所に書類を提出したそうだ。最初に面接の通知をもらい、内定を出してくれたのが、現在勤務する名古屋市にある事務所だった。

特許事務所の勤務と受験勉強

就職した事務所で最初は先輩《せんぱい》弁理士の補佐として、出願書類作成の手伝《てつだ》いをした。先輩《せんぱい》が以前に書いた明細書を見て書き方を学び、見よう見まねで書いたものをチェックしてもらう。いわゆるＯＪＴ（On the Job Training＝実務を体験しながら仕事を覚える）で、弁理士の業務を学んでいった。

勤務のかたわら、予備校の通信講座を利用して、出勤前の3時間ほどと、土日に受験勉強をした。勉強している内容は興味深かったし、はじめて勉強する法律も新鮮《しんせん》でおもしろかったという。

しかし、それまで地元の大阪を離《はな》れたことがなかった椿さんにとって、いちばんつらかったのは「孤独《こどく》」だった。家族も友だちもいない名古屋で一人ぼっち、受験仲間もいなかった。事務所の先輩《せんぱい》にアドバイスをもらうことはあったが、受験の悩《なや》みや日々の何でもないことを話す相手がいない。めげそうになって、休日に大阪に戻《もど》り、友人や家族と過ごしてリフレッシュしたこともしばしばだったとか。

それでも「この資格を何とかものにしないと、自分の将来に希望はない」という強い思いで受験勉強に取り組んだ。2回目の受験で最初の関門である短答式筆記試験を通り、当初の目標通り3回目の受験で資格を手にすることができた。

弁理士資格を得たことで、出願代理人とし

て特許の明細書を書くことができるようになったが、経験の浅かった椿さんは、事務所での仕事は先輩《せんぱい》弁理士の補助的な仕事が続いた。「できが悪かったんでしょうね。最初はよく叱《しか》られた」というが、早く一人前になりたいという思いから、休日も出勤するほど仕事に打《う》ち込《こ》んだ。

アメリカ研修に派遣《はけん》される

資格を得て2年後、事務所からアメリカ研修を命じられた。

「僕が入所したころより所員が増えて、業務に余裕《よゆう》ができました。海外に強い事務所にしたいという所長の考えで、誰《だれ》か一人をアメリカ研修に出すことになり、僕が指名されました。最初は英語がわからなくて、すごく苦労しました」

研修先は、勤務している事務所の顧客《こきゃく》大手企業《きぎょう》が使っていたアメリカの特許事務所で、その顧客《こきゃく》の仕事を通して、日頃《ひごろ》からひんぱんにやりとりがある事務所だった。アメリカでの仕事は、日本の事務所との連絡《れんらく》の仲介《ちゅうかい》が多かった。日本の事務所からの連絡《れんらく》内容を英語にして伝えたり、その逆だったり。ここでも、英語を含《ふく》めてＯＪＴで仕事のノウハウを学んでいった。

研修先は規模の大きい事務所で、椿さんのほかにも、日本から数名の研修生が来ていた。その研修生たちが、周辺の特許事務所の日本人研修生たちといっしょにパテントエージェントの試験を受けるというので、椿さんもトライすることにした。日本の理系大学卒業資格が受験資格として認められ、アメリカの特許関連法はそれまでの業務でも学んできたので、一から勉強するというわけではなかった。日本人研修生という受験仲間がいたことが、この時は何よりもはげみになったようだ。この仲間と、ネットで拾い出した過去の試験問題や、受験に必要な書籍《しょせき》をいっしょに勉強して、合格することができた。なお、パテントエージェント資格はアメリカ在住でないととれない。

アメリカの特許弁護士

椿さんがアメリカでいちばん驚《おどろ》いたのは、特許弁護士の働き方だったという。アメリカの特許弁護士は、ロースクール（法科大学院）で得た弁護士資格と併《あわ》せて、理系の大学卒業が要件となっているパテントエージェント資格を取得しなければならない。つまり、二つの異なる分野の大学で学ばなければなら

アメリカ研修の1年間には、休日にフライフィッシングに挑戦するなど楽しい思い出もあった

ないのだ。このため、アメリカでも別格の資格者とみなされている。

特許弁護士は特許事務所に広い個室をもち、それぞれに秘書が一人ついていた。椿さんは「日本では考えられない、洗練された、ぜいたくな働き方でした」と、その印象を語る。日本では弁理士試験には学歴などの受験資格がない。また弁護士資格のある人は、弁理士として登録すればその専任業務ができる。高いハードルをクリアしたアメリカの特許弁護士は、知的財産を守る重要な役割を担っていることが社会的に認められているのだろう。

受験勉強もあったが、アメリカ滞在中《たいざいちゅう》は休日に大リーグの野球を観戦したり、フライフィッシングに挑戦《ちょうせん》したり、アメリカ国内や近《きん》隣《りん》の国を旅行した。スキルアップができ、また楽しい思い出も多くある、充実《じゅうじつ》した1年間を過ごしたようだ。

一人前の弁理士として

帰国してからは、事務所の海外案件の多くは椿さんが担当することになった。また、帰国後1年ほどで、先輩《せんぱい》弁理士の下で手がけていた企業《きぎょう》の案件を、担当弁理士として任せてもらえるようになった。

「はじめて大手企業《きぎょう》の案件を担当弁理士として任せてもらった時は、お客さんに対して自分がすべて責任を負うことになるというプレッシャーを感じました。でも、やっぱりうれしかったですね」

弁理士試験の勉強をしながら、懸命《けんめい》に仕事を覚え、資格取得後も仕事中心の日々を送ってきた努力が実を結んだ時でもあった。

今、椿さんが担当する顧客《こきゃく》のひとつに、プ

事務所の海外案件の多くを担当しているという椿さん

リンターのメーカーがある。プリンターに関する画像処理、パソコンやインターネット上のサーバーとの通信、制御《せいぎょ》などの特許を扱《あつか》う。大学で化学分野を学んだ椿さんにとって専門外の技術だ。弁理士は多様な分野の技術に対応するために、案件ごとの技術を勉強する。

「出願書類を書く上で、扱《あつか》う技術の深いところまで知っている必要はありません。広く、浅くいろいろな知識をもっているほうが、さまざまな分野に対応できると思います」

特許だけではない、弁理士の仕事

主に特許を手がける椿さんは、顧客《こきゃく》から商標や意匠《いしょう》の相談があった場合にも対応する。また国内外を問わず、特許出願の相談を受けて、商標や意匠《いしょう》も含《ふく》めた総合的な知財戦略を提案することもある。新たに開発した技術について、たとえば機械のある部分の形状を意《い》匠《しょう》で登録するほうが有効な場合もある。そうした提案をするのも、弁理士の大事な役割だ。

商標については出願内容が認められるかどうか、さまざまな要素を検討しなければならず、法的な解釈だけでは判断できないこともある。多くの実例に基づいた経験値が重要な商標では、別の事務所の商標に強いベテラン弁理士のアドバイスをあおぐこともある。

弁理士の仕事のおもしろさとやりがい

アメリカから帰国した2005年、愛知《あいち》万博が開催《かいさい》された。この時に事務所の顧客企《こきゃくき》業《ぎょう》が出展したロボットは、二足歩行でトランペットなどの管楽器を演奏するものだった。椿さんも、そのようなロボットの技術についての特許出願にかかわった。

「一般《いっぱん》の人にも身近な形で見てもらえる技術で、通常の製品開発とは違《ちが》う分野だったからおもしろかったですね。いろいろな技術にふれられるのは、今でもこの仕事のおもしろいところだと思っています」

さらに、仕事のやりがいについて椿さんは「顧客《こきゃく》に頼《たよ》られること」だという。

「お客さんに満足してもらえる仕事をした時には、ダイレクトに感謝されます。そのことで、いい仕事ができたと実感できて、やってよかった、役に立ってよかったと思えます。その実感を得るために仕事をしているのだと思います」

そのためにふだんから心がけているのは、顧客《こきゃく》が弁理士にどういう仕事をしてほしいと望んでいるのか、常にアンテナを張って考えることだ。どういう明細書を書いてほしいのか、どのような対応を求めているのか、それぞれの顧客《こきゃく》によって考え方は違《ちが》う。顧客側《こきゃくがわ》の担当者や知財部の部長が替われば、知財の方針が変わることもある。そうしたことに敏《びん》感《かん》に対応することが信頼《しんらい》を得ることにもつながるので、常に意識しているそうだ。

やりがいと夢《ゆめ》のある仕事

「弁理士はすべての分野に精通していなくていい。開発者の話についていける、高校の理科レベルの知識があればだいじょうぶです。わからないところは開発者が教えてくれます」

弁理士に限らず、資格者は独立して一人でも仕事ができる。事務所に所属している場合も、実務は一人でできる。

「一人で仕事をしたい人にとって、弁理士はやりがいがあるという点でも、収入についても夢《ゆめ》のある仕事だと思います。長く続けられるのも、いいところです。もっと多くの人に弁理士を知ってほしいし、弁理士志望の人が増えるといいなと、個人的には思っています」

学生時代に自分は何に向いているのか、何をしたいのか真剣《しんけん》に考えたことが、今思えばよかったと思う。悩《なや》んだ末に弁理士試験に挑《ちょう》戦《せん》した、その選択《せんたく》は間違《まちが》っていなかったと感じている。

「弁理士は天職だったと思います」

ドキュメント 2 中小企業の技術を支援する弁理士

知的財産権の専門家として幅広い問題に対応する

特《とっ》許《きょ》業《ぎょう》務《む》法《ほう》人《じん》
藤《ふじ》本《もと》パートナーズ
横《よ》田《た》香《か》澄《すみ》さん

編集部撮影

横田さんの歩んだ道のり

１９８３年生まれ。東京理科大学化学科卒業、東京工業大学大学院理工学研究科化学専攻《せんこう》で修士課程修了《しゅうりょう》。いすゞ自動車グループのいすゞ中央研究所に入社し、研究員として開発にたずさわり、特許公報を見て弁理士を知る。東京から大阪に転居することになり退社。この機会に仕事を離《はな》れ、１年間受験予備校に通学して受験勉強に専念して、弁理士資格を取得した。

知財のさまざまな相談を受ける

弁理士資格を得て10年になる横田香澄さんは、中小企業《きぎょう》を主な顧客《こきゃく》とする特許事務所に勤務している。横田さんはこの事務所に移籍《いせき》するまで、大企業《だいきぎょう》を顧客《こきゃく》とするふたつの事務所での勤務経験がある。現在の事務所に移籍《いせき》するさいに、顧客《こきゃく》のほとんどが中小企業《きぎょう》だというのはわかっていた。

「でも、仕事の内容が大企業《だいきぎょう》と中小企業《きぎょう》でどう違《ちが》うのかは、わかっていませんでした。大《だい》企業《きぎょう》では知財部の指示を受けて明細書を書いていましたが、中小企業《きぎょう》の場合は開発者が知財部員も兼任しているという感じで、弁理士は知財の専門家としてさまざまな相談を受けます。出願についてだけでなく、権利侵害《しんがい》などの問題もあり、手がける仕事の幅《はば》が広がりました」

横田さんは開発者と議論をして、どういう発明について出願するのか、方針を決めるところからかかわる。

「中小企業《きぎょう》のお客さんに対しては、発明を発《はっ》掘《くつ》する段階からたずさわることもできて、弁理士の知識と経験を活かした仕事ができていると感じています」

キャリアを継《けい》続《ぞく》するために

横田さんは大学院の修士課程を経て就職した、いすゞ自動車グループのいすゞ中央研究所で、自動車排気《はいき》ガス浄化《じょうか》に関する研究にたずさわった。その時に特許公報を読んで、出願の代理人を務める弁理士という資格者がいることを知った。その後、結婚《けっこん》を機に大阪に転居することになって退職。この機会に1年間みっちり勉強して、弁理士試験に挑戦《ちょうせん》することを決めた。

「どこにいても働けて、子どもができて休職しても復職できる資格をもちたいと思っていました。修士課程まで勉強したことを活かせる資格が弁理士でした」

横田さんは勉強に専念するため受験予備校に通学し、基礎《きそ》講座から始めて1日7、8時間は勉強したという。通学を選んだのは「いっしょに勉強する仲間がほしかったから」。基礎《きそ》講座の担当講師に、勉強を始めて2、3年目という先輩《せんぱい》受験生を紹介《しょうかい》してもらい、予備校の授業のない日曜日にいっしょに勉強会もした。翌年、弁理士試験を受験して、見事に合格した。横田さんが受験した2010年度の合格率は8・3パーセント、合格者の平均受験回数は4・22回だった。はじめての受験での合格は快挙と言ってよい。

「まさか最初の受験で資格を取れるとは思っていなかったので、論文式筆記試験の結果が出るまで、翌年の受験に備えて勉強していました。論文式をパスできたとわかって、あわてて口述試験の勉強を始めました。1回で合格できたのは、先輩《せんぱい》受験生たちに勉強の仕方のコツを伝授してもらえたことが大きかったと思います。予備校に通っていても、一人で勉強していたら、とても無理だったと思います」

いきなり弁理士として実務をすることに

最終関門の口述試験の結果が出る前に、受験仲間から紹介《しょうかい》された大阪の特許事務所に入所することを決めていた。実務の経験を積みながら、受験を続けるつもりだったのだ。思いがけず資格を得られ、事務所に入ってすぐに弁理士として実務をすることになった。修士課程でも、いすゞ中央研究所でも研究していた自動車排気《はいき》ガス浄化《じょうか》の分野に関連する特許出願を担当した。

「研究してきたことに近い分野でしたが、実務で求められる明細書の書き方は、受験勉強で学んだこととはまったく違《ちが》いました。特許法の条文を知っていても、実務は何もできないと痛感しました」

戸惑《とまど》ってもいられないので、先輩《せんぱい》弁理士にアドバイスを受け、書いた明細書をチェックしてもらいながら、ノウハウを身につけていった。

二度の転職

最初の事務所では顧客《こきゃく》ごとに担当チームが

中小企業の仕事は発明を発掘する段階からたずさわることもできる、と横田さん　編集部撮影

決まっていて、同じような案件を手がけることが続いた。もっと仕事の幅《はば》を広げたいという思いから、横田さんは事務所を移籍《いせき》する。二番目の事務所は規模が小さく、化学分野の専門家は横田さんだけだった。ここでは化学の案件だけでなく、機械の出願も手がけた。

「出願書類には図面を入れることもできるのですが、小さな事務所だったので、自分で機械の図面を描《か》かなければならなくて、これは苦労しました。それまで、機械の図面を描《か》いたことなどありませんでしたから」

大きな事務所だと製図部があり、図面を描《か》く専門家がいる場合もあるそうだ。

この事務所に移籍《いせき》後、生まれ育った東京に戻《もど》ることになり、大阪に拠点《きょてん》があり東京支社のある現在の事務所に籍《せき》を移した。

「大阪で弁理士試験を受験、合格し、実務修習も大阪で受けたので、東京の特許事務所はよく知りませんでした。それで大阪に拠点《きょてん》があり、事務所の特徴《とくちょう》などがわかる今の事務所を選びました。事務所を転々とする弁理士は少なくありません。事務所ごとに仕事のやり方や、顧客《こきゃく》との関係もさまざまです。どこが自分に合う事務所なのかは、入ってみないとわかりません」

中小企業《きぎょう》の顧客《こきゃく》との仕事

以前の事務所では、顧客《こきゃく》である大企業《だいきぎょう》の知財部が開発技術について特許出願の方針を決めていた。弁理士として違《ちが》う観点からの意見を出しても、指示通りに明細書を書くように言われたこともある。横田さんは「弁理士の役割はただの出願代理でしかないのか」という思いを抱《いだ》いたそうだ。

中小企業《きぎょう》の顧客《こきゃく》の場合は開発者と直接やりとりすることが多い。また、中小企業《きぎょう》からはさまざまな相談がもち込《こ》まれる。特殊《とくしゅ》な手続きを要する、中小企業《きぎょう》などを対象とした早期審査《しんさ》制度を利用したい、というのもそのひとつだ。

「大企業《だいきぎょう》から、こういう相談はまったくありませんでした。対応するために、あらためて関連法規の条文を読み返すようになりました。今になって、弁理士試験で勉強したことが実務につながってきた感じもしています」

また開発した技術が、他社に先行出願されてしまって権利侵害《しんがい》のおそれがある、他社から権利侵害《しんがい》の警告書が届いてしまった、という切羽詰《せっぱつ》まった相談もある。権利侵害《しんがい》とみなされれば、製品の販売《はんばい》差し止め、損害賠償《ばいしょう》を求められるなど、顧客企業《こきゃくきぎょう》にとって大きな打撃《だげき》になる。この危機を回避《かいひ》するために、まず、ほんとうに権利を侵害《しんがい》しているのかの鑑《かん》定《てい》を行う。侵害《しんがい》の可能性が高いと判断した場合は、その特許を無効にできないかということを検討するとともに、顧客企業《こきゃくきぎょう》で設計変《へん》更《こう》が可能かも検討する。こうした対処をするのも、弁理士の重要な役割なのだ。

中小企業《きぎょう》の仕事でのやりがい

特許だけでなく、意匠《いしょう》や商標も活用した知財戦略を顧客《こきゃく》といっしょに構築していくことができることに、横田さんはやりがいを感じている。

「開発者と直接対話することで技術内容についてもいろいろわかります。それに対してこちらの意見も出して、出願のポイントを決めていく。たがいの信頼《しんらい》関係のうえで仕事ができるということがいちばんいいですね。その企業《きぎょう》の知財戦略を担う責任は重いですが、弁理士という資格が活かせる仕事であり、弁理士らしさを発揮できていると思います」

たとえば、最初の打ち合わせのさいに開発者から出された実験データを見て、別の観点からの実験データもあるとよい、といったアドバイスをすることもある。

「発明者は開発技術の検証のために実験をしているので、特許として出願するのに必要なデータではない場合もあります」

横田さんは現在も化学分野の特許を扱《あつか》うことが多い。世界的に環境《かんきょう》規制が厳しくなり、関連分野の技術開発競争は激《はげ》しく、こうした分野ではどんどん先行出願していく必要がある。一例をあげれば、プラスチック廃棄物《はいきぶつ》による海洋汚染《おせん》の深刻化から、環境中《かんきょうちゅう》で分解される生分解性プラスチックや、植物原料などからつくられるプラスチック代替《だいたい》材料の開発がある。

弁理士の腕《うで》の見せどころ

特許の出願では、特許請求《せいきゅう》の範囲《はんい》（クレームとも呼ばれる）によって権利の範囲《はんい》が決まるため、その内容が重要だ。たとえば、特許庁から拒絶《きょぜつ》理由通知（特許を認めないという通知）が届いた場合に一定期間内にクレームなどを補正する書類を提出する。その場合、出願時の明細書に書いていないことの追加はできない。拒絶《きょぜつ》理由をあらかじめ想定して、クレームを補正できるように明細書を書いておくことが、弁理士の腕《うで》の見せどころでもある。

「出願した特許の審査《しんさ》過程で、最初に出した

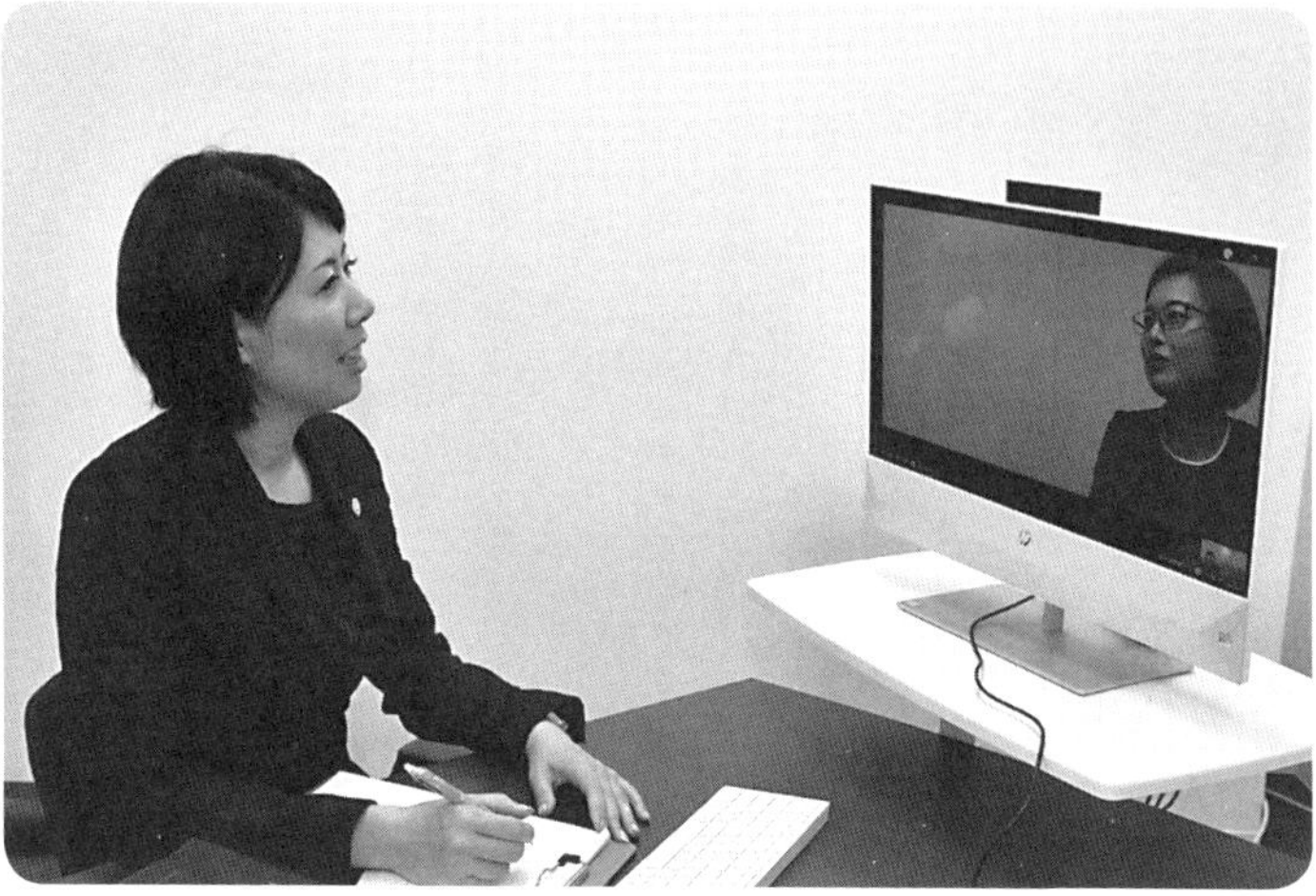

お客さんと打ち合わせをしながら、拒絶理由を想定して明細書をつくる　編集部撮影

クレームがそのまま通ることは、ほとんどありません。ですから、補正できるネタを明細書に仕込《しこ》んでおくのです。お客さんと打ち合わせをしながら、ネタを仕込《しこ》み、拒絶《きょぜつ》理由通知に反論するストーリーを明細書に潜《ひそ》ませるのは、実務経験がないとできません」

弁理士業務もＡＩに取って代わられるのではないかとの声も出ている。

「拒絶《きょぜつ》理由を想定したネタを仕込《しこ》む明細書、権利になる強い説得力のある明細書を書くのは、ＡＩでは難しいでしょう」

期限のある仕事

事務所の勤務時間は基本的に9時から17時半まで。小学生の子どもをもつ横田さんは残業があまりできないので、仕事が詰《つ》まっている時は家に持ち帰って週末などにやることもある。

顧客の事業計画から出願の期限が決まっているので、これは守らなければならない。ほかにも拒絶《きょぜつ》理由通知に対して特許庁に提出する補正書や意見書、異議申し立てなど、期限の決まっている仕事は多い。逆に言えば、その期限さえ守れば、いつ、どのくらい仕事をするかは自分で決める自由がある。夏休みをとるのなら、その前後の期間にいつもよりがんばって仕事をすればよい。

「家庭と両立しやすい仕事です。この点でも、理系の女性にもっと弁理士資格を知ってほしいと思います」

弁理士全体で女性の割合は約16％（２０２0年８月末現在）に過ぎない。女性だけでなく、広く学生をはじめ若い世代に弁理士を知ってほしいという。

弁理士をめざすのならば

自身の経験から「独学ではなく、受験予備校に通って勉強することが、資格を取る近道」と、横田さんはアドバイスする。勉強仲間がいると「自分もがんばろう」と思えるという。

特許事務所に勤務しながら受験勉強をして資格を取る人も多い。

「受験勉強の時間などに配慮《はいりょ》してくれる事務所もあります。資格を取ったからといって、実務経験がないと弁理士の仕事はできないので、経験を積みながら勉強するのもいいと思います。ただ、仕事が忙《いそが》しくて勉強する時間が十分にとれないと、合格は難しいでしょう。資格者でないと特許庁への手続き、審査官《しんさかん》への連絡《れんらく》ができないなど、仕事に制約があるので資格はとったほうがいいです」

横田さんは中学・高校時代、文系は「ぜんぜんだめ」だったそうだ。

「明細書を書くのに語彙《ごい》が足りないと思うこともあります。そういう時は、同じ分野の過去の明細書を探して、どう書いているのか参考にしています。弁理士試験の論文式筆記試験も、過去問をたくさん解き、答案をまねできれば、国語力がなくても書けます」

横田さんは2020年1月に事務所の東京オフィス所長に就任した。東京オフィスは化学分野のメンバーだけなので、顧客《こきゃく》の相談内容によっては、他分野の専門家がいる大阪本社とつないだオンライン会議で対応することもあるという。中小企業《きぎょう》の顧客《こきゃく》に頼《たよ》られる現在の職場で、横田さんは弁理士として充実《じゅうじつ》した日々を過ごしている。

ドキュメント 3 独立して個人事務所を運営する弁理士

多様なジャンルの依頼を顧客の立場で解決していく

アイラス国際《こくさい》特許《とっきょ》事務所《じむしょ》
髙橋《たかはし》洋平《ようへい》さん

髙橋さんの歩んだ道のり

1977年生まれ。東京理科大学理工学部機械工学科卒業。大学在学中に弁理士を知り、資格取得を志す。東京工業大学大学院総合理工学研究科物質化学創造専攻《せんこう》（現・東京工業大学物質理工学院材料系材料コース）修士課程修了《しゅうりょう》後、中尾《なかお》・伊藤《いとう》特許事務所に入所、2回目の受験で合格。2010年、アイラス国際特許事務所を設立し、独立。以来、事務所代表を務める。

広く知財を扱《あつか》うオールラウンドプレーヤー

高橋洋平さんはアイラス国際特許事務所を経営・運営し、知財の出願だけでなく、侵害《しんがい》に関する相談も手がける。「依頼《いらい》があれば、ジャンルにかかわらずに受ける仕事スタイル」で、仕事の割合は特許・実用新案が3割、意匠《いしょう》1割、商標5割、侵害《しんがい》関連1割だそうだ。特許・実用新案についても、さまざまな技術分野の案件を扱《あつか》う。

「どんな発明にも技術のストーリーがあり、技術の流れや本質をとらえて素直に明細書に書いていきます。わからない技術は開発者に質問すれば教えてくれます。さまざまな技術分野の出願書類を書いていると、どんな分野でも何となく書けるようになります。いろいろな技術分野にチャレンジできるのは、あきっぽい自分の性格に合っていると思います」

顧客《こきゃく》がかかえているさまざまな知財に関する課題を解決したり、顧客《こきゃく》のビジネスモデルから知財戦略を提案することにも力を入れている。高橋さんは、いわば知財のオールラウンドプレーヤーである。

大学入学式のショックから弁理士へ

高橋さんは子どものころから乗り物好きで、中学生の時には自動車やバイクのレースエンジニアをめざしていた。自動車系の高等専門学校進学を希望したが、両親に反対され普通《ふつう》科《か》に進学。満を持して大学の機械工学科に入学したが、入学式の学長のあいさつで自動車工学の研究室がないことを知った。「自動車工学は機械工学の花形で、ないはずがないと思っていた」という高橋さんにとって、これは大きなショックだった。

大学で勉強する気をなくしていた2年の時、たまたま学内で見た資格試験予備校のパンフレットで弁理士資格を知った。その時、「弁理士は技術の専門知識と法律の知識を駆使《くし》して依頼者《いらいしゃ》の問題を解決する理系のスーパーマン的専門家」というイメージを抱《いだ》いた。法律については、小学校の社会科で憲法を学んだ時に「なんとなく楽しそうなイメージをもった」そうだ。弁理士の存在を知ったことで、その資格を取ることが目標になった。

「祖父が会社を経営していたので、自分も独立して経営者になりたいという思いもありました。弁理士ならばそれも実現できます」

偶然《ぐうぜん》の出会いから特許事務所へ

大学2年の時に弁理士をめざすと決め、弁理士に関する本を読みあさった。3年になって就職担当の先生に進路を尋《たず》ねられ、弁理士をめざして特許事務所に就職すると言うと、知人の弁理士を紹介《しょうかい》された。髙橋さんはすぐにその弁理士を訪ね、弁理士志望だと伝えると、いきなり自分の事務所の内定をくれた。

「その方が大学の先輩《せんぱい》だったからなのか、会ったその日に内定をくれた理由は今でもよくわかりません。びっくりしました」

その時、大学院の修士課程を修了《しゅうりょう》していれば、弁理士試験の論文式筆記試験で選択《せんたく》科目の免除《めんじょ》がある、知識を広げるためにも修士課程に進むのがよいとアドバイスされた。大学生活を謳歌《おうか》していた髙橋さんは、あわてて大学院の受験勉強にとりかかった。2カ月間、毎日10時間以上勉強して、東京工業大学の大学院に「ぎりぎりの成績」で進んだ。大学の専攻《せんこう》と違《ちが》う金属工学のコースを選んだのは「機械の部品の材料になる金属について知っておくのがいいのではないかと考えて」のことだった。大学院では心を入《い》れ替《か》えてまじめに勉強したそうだ。

特許事務所勤務と受験勉強の両立

修士論文を提出してすぐに、弁理士試験の受験予備校の土日コースを申《もう》し込《こ》み、内定をもらっていた特許事務所で3月から勤務を始めた。弁理士試験の勉強も、事務所の仕事もはじめてのことばかりで、覚えることがたくさんあって大変だったという。

事務所での仕事は特許出願書類作成の補助だった。特許出願のノウハウに関する本やネット上の情報を手当たりしだいに読《よ》み込《こ》んで、また担当する案件に近い技術分野の特許公報

大学2年生の時に弁理士をめざすと決めていたという髙橋さん

を読んで、出願書類の書き方を学んだ。

髙橋さんは小学校時代から国語が苦手で、出願書類の文章を書くのには苦労したそうだ。技術をどう表現すればよいのかも、特許公報などを読んで学び、出願内容を伝えられる文章の形を身につけてきたという。

その一方で、平日は往復2時間の通勤時間と帰宅後に勉強して、土日は予備校でみっちり知財関連法規を学んだ。

資格を得てから

弁理士資格を取ると決めた時点で、3年以内に合格、特許事務所に入ってから10年後には独立という目標を立てていた。1回目の受験で短答式筆記試験はクリアしたが、論文式筆記試験で落ちた。この当時（2005年）は、短答式試験の合格でその後2年間の短答式試験免除《めんじょ》の制度はなかった。翌年の短答式試験は自己採点で合格ラインに2、3点足りないと判断し、ちょうど開催《かいさい》されていた2006年サッカーワールドカップ・ドイツ大会の試合をテレビで見ていた時、短答式試験の合格通知が届いた。大あわてで論文式試験の対策をして合格、口述試験もクリアして、2回目の受験で弁理士の資格を得た。

資格取得後も実務経験が浅かった髙橋さんは、出願後の特許庁とのやりとりや、商標や意匠《いしょう》の出願を手がけることはなかった。

資格を得て2年後、日本弁理士会の能力担保研修を受け、特許庁の特定侵害《しんがい》訴訟《そしょう》代理業務試験に合格して、この資格を得た。これは知財に関する裁判で、弁理士が弁護士とともに訴訟《そしょう》代理人を務めることができるという国家資格だ。知財訴訟に関心があった髙橋さんは、代理人をしてみたいと思っていた。

独立を果たした後の厳しさ

さらに2年後の2010年、能力担保研修をいっしょに受講した弁理士と共同でアイラス国際特許事務所を設立、独立した。2008年のリーマンショックによる不況《ふきょう》の影響《えいきょう》が尾を引いて、企業《きぎょう》の知財活動が低迷していた時期だった。

「独立するには、タイミングが悪かったと思います。弁理士業界全体で仕事が減っていたので、無謀《むぼう》だったかもしれません。不慣れな営業活動をしても新規の事務所に依頼《いらい》する企《き》業《ぎょう》はほとんどありませんでした」

高橋さんは最初の1年は収入ゼロでも仕方ないと割り切っていたが、共同経営者はそうではなかった。ほとんど収入がない状況《じょうきょう》が続いたことにいら立ち始め、関係が悪くなって決裂《けつれつ》。独立から1年もしないうちに、事務所は高橋さんの個人事務所になった。

柔軟《じゅうなん》に対応して危機を乗《の》り越《こ》える

高橋さんは仕事をとるために、さまざまな企業《きぎょう》に紹介《しょうかい》や飛《と》び込《こ》みで営業に回り、大手事務所の下請《したう》けで出願書類を書くなどの仕事もした。人脈をつくるために弁護士や公認会計士などさまざまな士業の人たちの交流会にも参加した。他士業の人から顧客《こきゃく》の知財についての相談を受けてほしいという依頼《いらい》もくるようになった。

手がけたことのなかった商標、意匠《いしょう》については、その分野が得意な知り合いのベテラン弁理士や、過去の類似案件の公報を調べて、出願のポイントを学んだ。

「独立当初から、企業《きぎょう》の規模や業種にかかわらず、また個人でも、依頼《いらい》があれば受けてきました。大きな特許事務所と競争しても勝てないので、大企業《だいきぎょう》を顧客《こきゃく》にするという考えはありませんでした」

出願書類に対して特許庁から拒絶《きょぜつ》理由が通知された時に提出する意見書や補正書も、独立以前には一度も書いたことはなかった。意見書の書き方を解説する本も出ていたし、ネット上の情報などを活用して、さまざまな業務に対応してきた。

商標登録の実績を築く

高橋さんが手がけた案件の一つに、レストランの店名「Vinosity」の登録商標がある。またVinosityは、スパークリングワインを専用グラスの縁《ふち》までいっぱいに注ぐ独自のサービスを考案し、「こぼれスパークリングワイン」として商標登録した。このサービスはマスコミに取り上げられたことから、無断で登録商標を使って同様のサービスをする店が続出し、商標権侵害《しんがい》の警告書を送るなどして、他店がVinosityの登録商標で類似のサービスをしないように対応した。

「こぼれスパークリングワイン」という商標は、一般的《いっぱんてき》な動詞と名詞からなるもので、商標としての識別力がないと判断される可能性が高かったが、多くのマスコミに取り上げられた実績を示したことで登録が認められ、顧《こ》客《きゃく》に喜ばれた。かかわった案件に大きな反《はん》響《きょう》があれば、高橋さんも誇《はこ》らしい気持ちになるという。

このほか著名なミュージシャンやプロスポーツチームといった、それまでかかわる機会のなかった業種の商標登録なども手がけている。芸能人のグループ名や芸名を所属事務所が商標登録することはよくあるそうだ。サッカーが趣味《しゅみ》で、日本だけでなくスペインとオランダのコーチライセンスも取得している高橋さんは、サッカーのプロチームの案件を扱《あつか》うことを目標にしているともいう。

サッカーが趣味で、コーチライセンスを持ち、プロチームの案件を扱うことを目標にしている。と髙橋さん

侵《しん》害《がい》に関する案件

近年は侵害《しんがい》など知財事件の案件も依頼《いらい》されるようになった。事件の数だけ当事者の事情がある。たとえば、開発者が製造を依頼《いらい》した下請《したう》け会社が、開発者に無断でコピー商品を販売《はんばい》していたという事件もあった。

あるいは、顧客《こきゃく》が他社の事業を買い取った契約《けいやく》で商標権の買い取りが漏《も》れていたことから、その商標を使って商品を販売《はんばい》した数年後に商標権侵害《しんがい》の警告を受けたという相談があった。この場合、和解協議で相手企業《きぎょう》が要求すると予想される交渉《こうしょう》条件や賠償《ばいしょう》を予測し、顧客《こきゃく》にとっても相手企業《きぎょう》にとっても有利な条件を提示して和解することに成功した。

裁判で訴訟《そしょう》代理人をしたいと考えていた髙橋さんだが、今は少し考え方が変わった。

「訴訟《そしょう》になると多くの時間とお金がかかります。何千万円、何億円の侵害賠償《しんがいばいしょう》事件でなければ、依頼者《いらいしゃ》にとって訴訟《そしょう》にするメリットはあまりないでしょう。依頼者《いらいしゃ》が訴訟《そしょう》をしなくてすむように、紛争《ふんそう》当事者同士がおたがいに納得のできる解決法を早期に見出すことが、自分の役目だと思います」

夢《ゆめ》から生まれた仕事も

レーシングエンジニアを夢《ゆめ》見ていた髙橋さんは、独立した年から自動車整備士専門学校の夜間コースに3年間通い、2級整備士の資格を取得している。自動車に関係した案件を手がけたいと、電気自動車普及《ふきゅう》協会に入り、競技用自動車の開発などを手がけるタジマモーターコーポレーションの代表・田嶋伸博《たじまのぶひろ》さんなど自動車関連企業《きぎょう》の人たちと出会った。

田嶋さんは世界的な山岳《さんがく》自動車レースであるパイクスピーク・インターナショナル・ヒルクライムを6連覇《れんぱ》した山岳《さんがく》レース界のレジェンドだ。タジマモーターコーポレーションは自社オリジナルの電気自動車でこの過酷《かこく》なレースに挑んできた。

髙橋さんは同社や関連企業《きぎょう》の知財案件を手がけてきた。同社の電気自動車レーシングカーに事務所の名前がスポンサー名として掲載《けいさい》されたのは貴重な経験だった。

みずから世界を広げて今がある

髙橋さんは、「いろいろなお客さんと仕事をすることが楽しい」という。

そんな髙橋さんは休日もさまざまな活動に参加している。主に少年サッカーチームのコーチ、フットサル、バイクや車のレースの参

事務所名の入ったレーシングカーの前で。タジマモーターコーポレーション代表・田嶋伸博さんと

戦・観戦をして過ごしているそうだ。車ではレーシングカートで新東京サーキットなどで走っている。数年前までは年に一度、ツインリンクもてぎでのレースに弁理士主体のオートバイサークルで参戦していた。レース用バイクの1台はみずから部品を集めてオリジナルでつくったもので、車やバイクの整備はもちろん自分でやっている。

独立後に共同経営者と決裂《けつれつ》し、一人で厳しい状況《じょうきょう》に立ち向かわなければならなかった時、思い悩《なや》むこともあっただろう。髙橋さんは行動することによって世界を広げ、幅広《はばひろ》い知財を扱《あつか》うことでその苦境を乗《の》り越《こ》えてきた。今、自在に仕事ができるのは、みずからは口にしない努力があってのことだと思える。

2章

弁理士の世界

弁理士とは

知的財産権にかかわる唯一の国家資格者

知的財産のスペシャリスト

弁理士は、弁護士、公認会計士などと並《なら》ぶ国家資格で、知的財産権のスペシャリストである。

知的財産とは、発明や創作など知的創造活動によって生み出された、価値を有する情報やアイデアをいう。発明や創作を利用してつくられた家電製品のような商品や、創作物を複製した本やCD、ゲームソフトではなく、それらを生み出したアイデアが知的財産だ。

これに条件つきの所有権を付与《ふよ》するのが知的財産権で、発明者や創作者はアイデアを一定期間独占《どくせん》し、有効活用できる。アイデアを創出した人は、発明あるいは創作のために費やした時間や労力、費用を、この権利を活用して製品などを販売《はんばい》することで回収できる。知的財産を権利として法的に保護する制度は、新しいアイデアや創作をうながし、技術革新による産業の振興《しんこう》をはじめ社会の活性化に貢献《こうけん》するものだ。

弁理士は、知的財産権のなかでも特許庁が所管する産業財産権（「特許」「実用新案」「意匠《いしょう》」「商標」）の出願代理ができる唯一《ゆいいつ》の資格者だ。産業財産権のほかにも、IT技術の進化や経済のグローバル化にともなう知的財産にかかわる業務として、回路配置権、不正競争防止法、著作権、育成者権など、扱《あつか》う知的財産の領域は広がっている。

弁理士として仕事をするためには、弁理士試験に合格して資格を取得した後に、実務修習を受け、日本弁理士会への登録が義務づけられている。2020年9月末現在、1万1624人が日本弁理士会に登録している。

弁理士の役割

弁理士の主要な業務は、産業財産権を取得するために、発明者・発案者の出願代理人として出願から登録までの手続きを行うことだ。出願する「特許」や「実用新案」の技術内容の新規性を検討し、すでに登録されている権利に抵触《ていしょく》しないか、あるいは「意匠《いしょう》」や「商標」が他社のものと類似していないかなどを判断する役割もある。

外国で知的財産を権利化する場合も、特許庁を通した国際出願などに関する手続きを行うほか、相手国の代理人の選定、交渉《こうしょう》、連絡《れんらく》などにあたる。

こうした産業財産権にかかわる業務は、弁理士だけに認められているもので、その内容は弁理士法に定められている。弁理士資格をもたない者が出願代理をした場合は、弁理士法違反《いはん》として逮捕《たいほ》・起訴《きそ》されることになる。

日本では、産業財産権の出願は発明者・発案者本人でもでき、これを本人出願という。しかし、出願から登録までの手続きは複雑で、さらに権利化したあとの契約《けいやく》や訴訟《そしょう》なども含《ふく》めて技術と法律の知識が求められるので、専門家である弁理士を代理人とするのがふつうだ。

2019年のデータ（『特許行政年次報告書 2020年版』特許庁）では、国内の特許出願件数の92パーセントが弁理士を代理人として出願され、実用新案で77パーセント、意匠《いしょう》では75パーセント、商標は58パーセントが弁理士を代理人として出願されている。

経済のグローバル化と弁理士

2002年に発表された「知的財産戦略大綱《たいこう》」は、天然資源の少ない日本において、知的財産を主要な資源として活用することで、豊かな未来を切り開こうという政策だ。知的財産の有効活用による産業と経済の活性化をめざす「知的財産立国」の実現に向けて、その創造、保護、活用、人的基盤《きばん》の充実《じゅうじつ》の四つの柱が掲げられた。

国の方針として知的財産がクローズアップされた背景には、ITやバイオテクノロジーなど新しい技術分野の急速な発展と、経済のグローバル化による国際競争の激化《げきか》があった。国内で開発された技術や製品が海外で侵害《しんがい》、模倣《もほう》されないように、欧米《おうべい》・アジアをはじめとする諸外国で「特許」や「商標」などの知財を登録することがより重要になったのだ。

弁理士業務は産業財産権の権利化にとどまらず、国際舞台《ぶたい》における日本の知財保護と産業の競争力を高めることに貢献《こうけん》している。

一般《いっぱん》には認知度は高くない

弁理士は、日本の近代化・工業化の始まりから今日に至るまで、知的財産にかかわるスペシャリストとして産業社会を支えてきた。歴史が長いにもかかわらず、一般《いっぱん》にはあまり知られていないのは、産業にかかわる業務が主で、市民生活との接点がほとんどないためだろう。また、弁護士などほかの専門職に比べて人数が少ないことも一因と思われる。

近年では小中学校から知財教育が導入されるようになっているが、弁理士の業務まではなかなか紹介《しょうかい》されないようだ。知的財産についての知識がさらに広がれば、弁理士の存在感も高まるだろう。

弁理士の歴史

120年以上にわたり産業の振興に役立ってきた

特許制度の始まり

世界における特許制度は、1474年にヴェネチア共和国で発明者条例が制定されたのが始まりとされる。このころの日本は室町《むろまち》時代、応仁《おうにん》の乱《らん》の少し後のことだ。ヨーロッパでは発明者条例によって、発明者の権利を守る特許が広く認められるようになり、産業革命を推進したジェームズ・ワットの蒸気機関も特許を得ている。

日本にヨーロッパの特許制度を紹介《しょうかい》したのは、明治維新《めいじいしん》の年に出された福沢諭吉《ふくざわゆきち》の『西洋事情《せいようじじょう》 外編《がいへん》』だった。明治《めいじ》時代に入ったばかりの混乱した時期のことで、特許制度が設けられるのはしばらく待たねばならなかった。1884（明治17）年に「商標条例」が公布され、その翌年に「専売特許条例」が発布、施行《しこう》されて日本の近代的特許制度はスタートした。欧米《おうべい》諸国と対等の立場を得るために、さまざまな西欧《せいおう》の制度が導入されたが、そのなかのひとつが特許制度だった。そして、1888年に「意匠《いしょう》条例」が誕生《たんじょう》した。

弁理士の誕生《たんじょう》

弁理士制度は、1899年に施行《しこう》された「特許代理業者登録規則」に始まり、120年以上の歴史をもつ。近代化への一環《いっかん》として産業の振興《しんこう》が奨励《しょうれい》された当時、特許の出願数も増え、技術や法律に関する専門知識をもつスペシャリストが求められるようになったことが、特許代理業者登録規則が生まれた背景にあった。この年に日本は産業財産権などを保護するための国際条約であるパリ条約に加盟し、知的財産権の分野でも国際社会の一員となった。実用新案については、1905年に「実用新案法」が制定されている。

1899年、はじめて登録された特許代理業者は138人だった。1909年に特許代理人は特許弁理士と改称され、さらに1921（大正《たいしょう》10）年に「弁理士」が正式名称になった。その翌年に第1回の弁理士試験が実施《じっし》された。

その後、太平洋《たいへいよう》戦争の敗戦によって国内産業は大きな打撃《だげき》を受けたが、戦後の日本にはアメリカをはじめ、海外からさまざまな商品とともに企業《きぎょう》が進出してきた。それら欧米企《おうべいき》業《ぎょう》が日本国内で商標や特許を出願する場合も、代理人としてかかわれるのは弁理士だけだった。

やがて国内産業が復興し、高度経済成長期に入ると国内企業《きぎょう》の技術開発が活発になり、弁理士の仕事も増えていった。さらに産業社会の成熟にともない、企業《きぎょう》の知的財産に対する意識の高まりから、特に大企業《だいきぎょう》では社内に知財専門部署が設けられるようになり、弁理士が活躍《かつやく》する舞台《ぶたい》となった。

弁理士業務の拡大

「知的財産立国」に向けて、弁理士業務を拡大する第一歩として新弁理士法が2000年に制定、翌年に施行《しこう》された。これによってつぎのような業務が新たに追加された。

・不正商品の輸入差し止め
知的財産権を侵害《しんがい》する製品の輸入を阻止《そし》するために、税関に対して行う法的手続きである。その典型的な例が、バッグや衣料品などの偽《にせ》ブランド品の摘発《てきはつ》だ。製品だけでなく、部品でも同様の措置《そち》がとられる。

・知的財産に関する紛争《ふんそう》解決
日本知的財産仲裁センターなどの専門機関における仲裁手続き、これにともなう和解手続きの代理を行う。

・知的財産の譲渡《じょうと》およびライセンス交渉《こうしょう》やこれにともなう契約書《けいやくしょ》の作成
契約《けいやく》のための手続きの代行、知的財産権に関する契約締結《けいやくていけつ》の代理、仲介《ちゅうかい》などを行う。

2002年の「知的財産戦略大綱《たいこう》」を受け、知的財産国家戦略の理念や基本方針を法制化した知的財産基本法が制定された。この法律にもとづいて、内閣総理大臣を本部長として知的財産戦略本部が設置され、ここには弁理士も加わっている。

この当時、社会的要請《ようせい》から弁理士の量的拡大が図られ、試験制度の見直しにより合格率は従来の3パーセント台から7パーセント台になった。近年の合格率も7～8パーセント台で推移している。

さらに2003年に弁理士法が一部改正され、特許権などの侵害訴訟《しんがいそしょう》で代理人となれる国家資格が加わった。特定侵害訴訟《しんがいそしょう》代理研修を受講して試験に合格することが条件だ。合格すれば、弁理士資格に「特定侵害訴訟《しんがいそしょう》代理人」が附記《ふき》登録され、特許侵害訴訟《しんがいそしょう》などで弁護士の共同訴訟《そしょう》代理人となる権利が与《あた》えられる。

知的財産は世界市場における企業《きぎょう》の競争力を高めることに直結している。2018年にアメリカと中国が対立したさいに、知的財産が大きなテーマとなったが、この例からも産業社会における知財の重要性がわかる。こうした世界の動きのなかで、弁理士は知財の専門家として活躍《かつやく》している。

知的財産権をめぐる世界の動き

国際社会を動かす知的財産権をめぐる競争

アメリカの知的財産政策の流れ

知的財産権をめぐる世界の動きは、アメリカの特許政策の影響《えいきょう》を大きく受けてきた。アメリカは知財を重視し、産業を発展させて世界に君臨する国力をつけただけでなく、自国の優位性を維持《いじ》するために、国際社会でも知的財産政策を展開してきた。

1776年にイギリスから独立して以来、アメリカは4回、知的財産政策を転換《てんかん》している。独立当初は、イギリスをはじめとするヨーロッパの技術を導入せざるをえなかったことから、1790年に「連邦《れんぽう》特許法」を制定した。その特許制度のモデルとなったイギリスの「専売条例」（1624年制定）は、ヨーロッパ大陸の技術導入を目的として設けられたものだった。すぐれた技術の独占権《どくせんけん》を補償《ほしょう》することで国外の技術移転を図り、それが国内の技術発展につながって産業革命が起こり、イギリスは世界を制する大国になった。アメリカの「連邦特許法《れんぽう》」も、技術導入とこれによる国内産業の成長をねらったものだった。

1861年に始まった南北戦争は、豊かな農業地帯を擁《よう》する保守的な南部と、貧しいために自由経済の推進を望む北部の経済的な対立が根底にあった。4年にわたる戦争は、北部の勝利によって幕を閉じた。北部を率いていたリンカーン大統領は、みずからも川の浅瀬を安全に航行できる構造の船を建造したことによって特許を取得していた。リンカーンが発明家として語られることがないのは、船舶《せんぱく》の歴史に残るような大発明というわけではなかったためのようだ。しかし、発明家でもあったリンカーンは特許保護政策を実施《じっし》して、工業化を推進した。新しい技術を開発して特許を得ることでこれを独占《どくせん》し、大きな利益を手にすることが可能になったことから、開発競争に勢いがつき、アメリカは技術大国に成長していった。

アンチパテントとプロパテント

しかし、技術の独占《どくせん》はしだいに産業社会全体の成長を阻害《そがい》する要因となっていく。1929年の大恐慌《だいきょうこう》で大きな打撃《だげき》を受けたアメリカは、経済復興のために1933年にニューディール政策を打ち出した。それまで企業《きぎょう》の自由競争に任されていた経済に、連邦《れんぽう》政府がさまざまな形で介入《かいにゅう》して改革する政策のなかで、特許は独占《どくせん》に制限を設けられることとなった。アメリカの特許政策は、その後50年近くのあいだ、独占《どくせん》禁止法が優先される「アンチパテント」の立場をとっていた。

１９８０年代に入り、アメリカ経済は「双子《ふたご》の赤字」と呼ばれる貿易赤字と財政赤字によって落《お》ち込《こ》んでいった。アメリカ政府はその原因を、日本をはじめとする外国製品によって自国の製造業が衰退《すいたい》したためだと判断した。１９８１年に就任したレーガン大統領は、産業界からの圧力も受けて特許を優先する「プロパテント政策」に転じた。それまでのカーター政権下でも、すでに知的財産に関する改革は始まっていた。１９８０年には、政府援助《えんじょ》によって大学などの研究機関で得られた研究成果を特許とすることを認め、さらに企《き》業《ぎょう》への技術移転をうながす「バイ・ドール法」が成立した。

レーガン政権は、82年に知的財産をめぐる裁判機能を強化するために特許高等裁判所を創設した。レーガン政権のプロパテント政策の特徴《とくちょう》は、国内にとどまらず、国外でも知的財産権の保護強化を求めたことだ。１９８８年に改正された包括《ほうかつ》通商法に設けられた、いわゆる「スペシャル３０１条」はコピー商品の放置など、アメリカが知的財産権の保護が不十分と判定した国に対する制裁措置《そち》を盛《も》り込《こ》んだ。これによって、知的財産権保護を盾《たて》に、アメリカは貿易に関する二国間交渉《こうしょう》を有利に運ぶことができるようになった。

知的財産権のグローバルスタンダード

さらに1986年、アメリカは知的財産権保護をGATT（関税および貿易に関する一《いっ》般《ぱん》協定）ウルグアイ・ラウンドにもち込《こ》んだ。知的財産権に関する国際的な機関には、国連の専門機関として世界知的所有権機関（WIPO）があり、知的財産権に関する国際条約の管理をはじめ、国際出願に関する手続きなどを行っている。アメリカは知的財産権を侵害《しんがい》する製品の輸入規制を強化するなど、貿易の側面からもプロパテント政策を進めるために、WIPOではなく、GATTを交渉《こうしょう》の場として選んだのだ。

この結果、GATTから発展して生まれた世界貿易機関（WTO）の設立に関するマラケシュ協定に付随《ふずい》する形で、知的財産権に関するTRIPS協定が設けられ、1995年に発効した。TRIPS協定は、すべての加盟国が知的財産権保護についての最低基準を守ること、知的財産権侵害《しんがい》に対して損害賠償《ばいしょう》や差止め命令といった手段を確保することなどを求める内容となっている。WTOの加盟164カ国・地域（2017年末現在）は、TRIPS協定を遵守《じゅんしゅ》するために国内法の整備を義務づけられている。その後ロシア、中国がWTOに加盟したことで、この協定が知的財産権に関するグローバル・スタンダードになった。

このような国際的な動きには、知的財産権に関する各国の制度の違《ちが》いを解消して、さまざまなトラブルを防止しようという意図もある。知的財産権は各国の国内法で保護されているが、国境を越《こ》えた製品や情報の流通が急速に拡大し、国際条約などによって知的財産権保護に関する世界共通のルールが必要だということは、多くの国で一致《いっち》していた。

アメリカの「先発明主義」

しかし、アメリカの特許制度は他国とはまったく違《ちが》っていた。アメリカは世界で唯一《ゆいいつ》、先に発明した者に特許を認める「先発明主義」をとっていた。先に出願した者に特許を認める「先願主義」をとるほかのＷＴＯの加盟国は、アメリカに「先願主義」への転換《てんかん》を求めていた。「先願主義」に基づいた手続きを経て製品化したものであっても、アメリカでは特許権侵害《しんがい》に問われたためだ。

実際に１９８０年代以降、日本をはじめとする先進国の企業《きぎょう》がアメリカの企業《きぎょう》あるいは個人発明家に特許権侵害《しんがい》で訴《うった》えられ、多額の賠償金《ばいしょうきん》を請求《せいきゅう》される事件がつぎつぎに起きた。ある発明をめぐって紛争《ふんそう》になった場合、先に発明したことを認定する審査《しんさ》手続きがあり、認定に至るまでに長期間を要した。また、アメリカでは原告である特許権者の申立《もうした》てがあれば、陪審《ばいしん》裁判による判定を受けることができた。陪審員《ばいしんいん》は技術や法律の専門家ではなく、一般《いっぱん》の国民から無作為《むさくい》に選ばれる。そこではアメリカの法廷《ほうてい》ドラマに描《えが》かれているように、いかに自分に有利な評決を得るか、つまり半数以上の陪審員《ばいしんいん》を味方につけるための働きかけが裁判のポイントだった。

日本企業《きぎょう》への攻勢《こうせい》

プロパテント政策は特許の範囲《はんい》を拡大解釈することを認め、賠償《ばいしょう》金額の算定方式も高額化に導くものだった。さらに懲罰的賠償《ちょうばつてきばいしょう》として評決の３倍まで請求《せいきゅう》できる制度ができた。アメリカの対日貿易赤字がふくらみ、ハイテク関連の特許にかかわる日米間の摩擦《まさつ》など、アメリカ国内で対日感情が悪くなっていた最中、多くの日本企業《きぎょう》がターゲットにされた。

その一例に、１９９２年にミノルタカメラ（現コニカミノルタ）に対して、ハネウェル社の特許権を侵害《しんがい》したとして９６３５万ドルの損害賠償《ばいしょう》の支払《しはら》いを命じる評決を下されたことがある。評決から約１カ月後、ミノルタは命じられた金額に、この時点以降に使用する特許権の代金などを含《ふく》め、日本円で約１６５億円を支払《しはら》うことで和解した。同社にとって、アメリカに輸出するカメラは収益の大きな柱で、問題となった自動焦点《しょうてん》一眼レフカメラの販売《はんばい》禁止命令をハネウェル社が求めたこと、控訴《こうそ》した場合には長期化が予想され多額の訴訟《そしょう》費用がかかることなどから、和解という道を選ばざるをえなかったのだろう。

アメリカの企業《きぎょう》あるいは個人発明家による特許権侵害《しんがい》の訴《うった》えは、さまざまなジャンルで発生した。92年6月には、日本の自動車メーカー11社が、製造用の画像処理技術について、発明者のレメルソン氏から特許権侵害《しんがい》の警告を受けた。このケースについても、後に特許使用料を支払《しはら》って和解したとされる。また、同年7月には、医薬品事業に進出していた東《とう》洋紡《ようぼう》が、アメリカのベンチャー企業《きぎょう》ジェネンテック社により血液溶解剤《ようかいざい》TPAの販売《はんばい》差止め請求《せいきゅう》を受けているあいだにシェアを失い、この分野からの撤退《てったい》を余儀《よぎ》なくされた。

4回目の政策転換《てんかん》

もうひとつ、アメリカにおける特許権侵害紛争《しんがいふんそう》の要因だったのが、出願内容が特許権の取得・登録まで公開されない制度だった。ヨーロッパ連合（EU）諸国や日本などWTOに加盟する国の多くでは、特許権が取得できていなくても、基本的に出願から18カ月後に内容が公開される。特許の内容が公開されなければ、どのような技術が侵害《しんがい》にあたるのか、出願人以外にはわからないということだ。各国の要請《ようせい》から1999年、アメリカでも原則として出願から18カ月後に公開することになった。ただし、アメリカ国内でのみ出願する場合には、出願人の請求《せいきゅう》によって非公開にできるため、すべての出願内容がオープンにされる制度にはなっていない。

アメリカがようやく「先願主義」に転換《てんかん》したのは、オバマ政権になった後の２０１１年のことだが、それは日本やＥＵ各国などの「先願主義」と同じものではなかった。アメリカでは、先願主義は発明者でない者が出願人となって特許を取得する可能性があると考えられていたことから、先願主義に抵抗《ていこう》が大きかった。政策転換《てんかん》に当たり、発明者が発明の内容を論文などによって開示してから1年以内に出願すれば、その1年間に他者が同様の内容を出願しても、発明者が特許を得られる「発明者先願主義」がとられている。

知的財産権をめぐる米中の対立

新しい技術の領域に関して、アメリカは世界に先駆《さきが》けてソフトウェア、ビジネスモデル、遺伝子配列、情報通信技術などに特許を認めてきた。これらはアメリカが強い分野であり、世界市場における優位性を確保するための戦略ともなっていた。

そのアメリカの優位性を脅《おびや》かす存在となったのが中国だ。２００1年にＷＴＯに加盟した後、中国は国内の知財関連法の整備を進める一方で、多くの外資系企業《きぎょう》を受け入れ、国内産業の成長を図った。これによって「世界の工場」といわれるまでに生産力と輸出を伸《の》ばしただけでなく、めざましい技術力の向上を実現した。

その結果、2011年に特許出願件数でアメリカを追《お》い抜《ぬ》いて世界のトップに躍《おど》り出《で》た。このころはまだ国内出願が多かったが、WIPOが2020年に発表した年次報告によれば、2019年にはPCT（特許協力条約）に基づく国際特許出願の件数でもアメリカを抜《ぬ》いてはじめて世界1位となった。また、国際特許出願数の企業《きぎょう》別《べつ》ランキングでは、次世代通信システムの5Gで世界のトップを走るファーウェイ（中国）が3年連続で1位となった。同年のトップ10にはハイテク関連の中国企業《きぎょう》4社が入っている。

この分野を先導してきたという自負のあるアメリカは、中国に主導権を奪《うば》われたくなかったのだろう。2016年に就任したトランプ大統領のもと、知的財産重視の政策を打ち出したアメリカは中国に対する強硬《きょうこう》姿勢を鮮明《せんめい》にした。その理由として、中国はアメリカの先端《せんたん》技術を不当に移転していると主張した。

アメリカは2018年7月に中国からの輸入品に対して制裁関税を導入し、中国もこれに対抗《たいこう》した報復関税をアメリカからの輸入品にかけた。こうした応酬《おうしゅう》が続く最中、ファーウェイの副社長が同年12月、アメリカの要請《ようせい》によりカナダで逮捕《たいほ》・拘束《こうそく》されるという事件まで起こった。なお、2020年9月、WTOの紛争《ふんそう》処理小委員会は、2018年以降にアメリカが中国に課した制裁関税は正当性が認められないと判断している。

日本の知的財産政策の流れ

すでに述べたように、日本の企業《きぎょう》は1980年代にアメリカで知的財産権の侵害《しんがい》に問われ、大きな代償《だいしょう》を払わなければならなかった。こうした事態は、日本の世界市場における競争力を低下させかねなかった。こうした背景から「知財立国宣言」によって、知的財産を活用した産業振興《しんこう》が政策で主要なテーマとなった。その推進策として、特許庁における審査《しんさ》の迅速化《じんそくか》や、知財情報をオンラインで検索《けんさく》できるポータルサイトの設置なども進められた。出願された産業財産権の公開公報は、工業所有権情報《こうじょうしょゆうけんじょうほう》・研修館《けんしゅうかん》（ＩＮＰＩＴ）の特許情報プラットフォーム（J-PlatPat）で無料で検索《けんさく》できるようになっている。

日本の知的財産制度はＷＩＰＯの枠組《わくぐ》みに沿っており、知財や貿易に関する国際条約の改正、諸外国の制度などに対応して変わってきた。たとえば商標では、音、立体、色彩《しきさい》などの商標が先進諸国で認められていたことから、日本でも同様の商標を認める法改正が行われている。

今や国際市場での競争力を高めるためには、知的財産が重要であり、多角的に知的財産権を活用する知財戦略が求められている。また、独自の技術をもつ中小企業《きぎょう》の知財戦略の推進、社会の知財に対する認識を高めるための知財教育も重要な課題となっている。

知的財産権とは

発明・発想のアイデアを独占的に使用できる権利

知的財産権は、産業財産権と、著作権およびその他の知的財産権に大別される。

産業財産権とは

製品の先進性、独自性を生み出す機能や性能（「特許」「実用新案」）、デザイン（「意匠《いしょう》」）、信頼性《しんらいせい》を保証するブランド（「商標」）を保護し、独占的《どくせんてき》に使用できる権利をいう。産業財産権は、特許法などそれぞれの法律に基づいて特許庁に出願し、審査《しんさ》を経て権利を得ることができる。

「特許」や「実用新案」、「意匠《いしょう》」が保護しているのは、発明・発想のアイデアであり、常に新しいものが出てくることから、権利を有する期間がそれぞれに決められている。これに対して、「商標」は企業《きぎょう》などの製品やサービスを他者の製品やサービスと識別するためのもので、信頼性《しんらいせい》を裏づける役割があることから、更新手続《こうしん》きによって権利を存続することができる。

特許——開発努力をうながす原動力

特許制度は、発明の内容を公開する代わりに、それを占有《せんゆう》できる権利を発明者に与《あた》えるものだ。発明は私たちの生活に役立つ製品を生み出し、産業界を支えているだけではない。スポーツの新記録には、たとえば水着の新しい素材、陸上競技用スパイクの材質や形状などの創意工夫、発明が貢献《こうけん》している。

新たな技術や素材などを開発、発明した場合、特許によってそのノウハウを公開するか、あるいは特許をとらずに秘密にするかは発明者の自由だ。特許をとらない場合、その発明内容をまねされたり、第三者が特許をとってしまう可能性もある。そうした場合は、発明者が特許権侵害《しんがい》を問われることも起こりうる。

このようなことから、新技術の特許出願において、その技術の一部を出願書類で公開せずに、いわば企業《きぎょう》秘密としておく戦略もある。

日本をはじめWIPOに加盟している多くの国で、特許の保護期間は20年と決められている。特許となった技術を第三者が利用する場合は、権利者とライセンス契約《けいやく》を交わした上で特許権使用料を支払《しはら》わなければならない。特許権は企業《きぎょう》の利益を生み出し、新たな開発努力をうながす原動力であり、世界の技術革新を推し進めてきたともいえる。

また、特許の保護期間を過ぎた後は、公開された技術を誰《だれ》でも利用できる。このよい例を医薬品にみることができる。生命にかかわる製品だけに、医薬品の開発は副反応による健康被害《ひがい》がないかなどの検証がくり返され、膨大《ぼうだい》な時間と費用がかけられる。特許権が切れた後、その技術を利用した権利者以外のメーカーがつくった製品は、ジェネリック医薬品とも呼ばれる。開発経費が製品に上乗せされないぶん、価格を低く設定できる。

たとえば、A社が特許を取得した胃腸薬の成分や製法は、特許権が切れた時点でB社やC社により同じ効力の胃腸薬の製造に活かされる。A社は特許を20年間占有《せんゆう》して得た収益で、つぎの開発に取り組むことができる。

新型コロナウィルスのワクチン開発では、アメリカのモデルナ社が、世界的大流行が続くあいだはワクチン製造に関する特許権を行使しない方針を２０２０年10月に発表した。この深刻な感染症《かんせんしょう》をめぐり世界でワクチン開発競争が起きており、モデルナ社の遺伝子工学の特許が他社に使われている可能性もあるという。世界的な感染拡大の収束《しゅうそく》を優先して、モデルナ社はこのような決断をしたようだ。収束後《しゅうそくご》には、同社の特許技術を利用した企《き》業《ぎょう》とライセンス契約《けいやく》を結ぶ意向も示した。

●特許の条件は産業での有用性

発明という言葉は日常的にもよく使われる。「私が発明したお料理」といったように。残念ながら、ただの独創的な料理では特許はとれない。特許法では発明を「自然法則を利用した技術的思想の創作のうち高度なものをいう」と定義している。これは世界的な定義でもある。

自然法則を利用するということは、人間どうしの取決めはあてはまらない。たとえば、じゃんけんの新しいルールがどんなに斬新《ざんしん》であっても、発明とはみなされない。また、自然法則そのものも対象にはならないし、すでに存在しているものをいちばん早く発見しても、発明にはならない。

ある製品について新たにつくられた素材、革新的な機能を生み出す構造、その生産方法などが、それぞれに特許の対象となる。画期的な技術によって生み出された製品について、数十件の特許を出願、取得するケースもある。

さらに特許として認められるための条件として、産業上の利用性、新規性、進歩性など

があげられる。一般的《いっぱんてき》には、口頭あるいは論文などの文書によって発表されていたり、すでに販売《はんばい》されているものは対象にならない。また当然のことながら、犯罪に使用される懸《け》念《ねん》があったり、道徳に反するような発明は特許として認められない。

このような特許の概念《がいねん》により、以前は形のある物のメーカーの知的財産と考えられていた。しかしコンピューターの普及《ふきゅう》により、情報技術を駆使《くし》したサービスが構築されるようになったことから、新たな特許の領域が生まれた。その最初の例が「ビジネスモデル特許」と呼ばれるものだ。

●サービス業務の内容も特許に

ビジネスモデル特許とは、おおざっぱにいえば、情報通信技術を用いたビジネスの方法や仕組みに関する特許だ。

１９９９年にアマゾン・ドット・コムは自社のワンクリック特許を競合他社が侵害《しんがい》したとして提訴《ていそ》、一カ月半ほどで侵害《しんがい》を訴《うった》えられた会社に対しワンクリック方式の使用停止の仮処分が決定された。アマゾン・ドット・コムはこれにより、世界の市場での優位性を得て急成長した。

ビジネスモデル特許のもっとも大きなインパクトは、特許がサービス業にもおよび、情報技術を利用したサービス内容が知的財産として認められるようになったことだった。

日本国内でも２０１０年代からビジネスモデル特許の出願が増え、情報通信技術を活用したさまざまなサービスが急速に拡大するなかで、ビジネスモデル特許を取得する例が目立っている。一例をあげれば、スマートフォン決済サービスがある。

実用新案――発明ほどではない物品の考案

特許の対象が「発明」であるのに対して、実用新案では対象を「考案」としている。「考案」は「発明」ほどのレベルは求められないが、「自然法則を利用した技術的思想の創作」という点では「発明」と共通している。実用新案の対象は物品の形状、構造、組み合わせに関するものとされている。

実用新案は製品およびその部品などで、利便性や機能を高めるアイデアや工夫が多く登録されてきた。日用品の改良の身近な例には、朱肉《しゅにく》のいらない印鑑《いんかん》がある。

実用新案は開発・研究期間の短いものが多く、新しいアイデアを盛《も》り込《こ》んだ製品がつぎつぎに生まれる。このため１９９３年に実用

新案法が改正され、審査《しんさ》が簡略化された。これにより出願内容が基礎的《きそてき》な要件さえ満たしていれば実質的に無審査《むしんさ》となり、出願から数カ月以内で登録できるようになった。また、2005年4月1日以降に出願されたものについては、保護期間が従来の6年から10年に延長されている。

意匠《いしょう》――製品のデザイン、独自の形状

意匠《いしょう》というのは耳慣れない言葉かもしれないが、デザインを意味する。自動車のデザイン、家具や家電製品のデザイン、飲料容器のデザインなど、さまざまな製品で意匠《いしょう》が登録されている。

意匠権《いしょうけん》の対象は、量産される工業製品の形状、模様、色彩《しきさい》のデザインで「美感を起こさせる」ものとされている。製品そのもののほかに、パッケージでも意匠《いしょう》を登録できる。気体や液体、匂《にお》いや手ざわりといったものは対象にならない。また国旗やJISマークのように、公的機関によって策定されたデザインなどは、意匠《いしょう》として認められない。

意匠権《いしょうけん》の特徴《とくちょう》は、登録された意匠《いしょう》だけでなく、そのバリエーションとみなされる類似の意匠《いしょう》も権利範囲《はんい》に含《ふく》まれることだ。また、まねされることを防ぐために、類似の意匠《いしょう》を関連意匠《いしょう》として登録することもできる。

製品全体についてのデザインとして登録されていた意匠《いしょう》だが、1998年の意匠法《いしょうほう》改正で、製品の部分について部分意匠《いしょう》の登録も認められるようになった。たとえば、時計の文字盤《もじばん》のデザインが独創的な場合、時計全体の意匠《いしょう》のほかに、文字盤《もじばん》だけの意匠《いしょう》も登録できる。全体の意匠権《いしょうけん》では、文字盤《もじばん》だけをまねた製品はその権利を侵害《しんがい》したとみなされなかった。

デザインはまねされやすいため、出願時、または1年分の登録料を支払《しはら》った時点で、秘密意匠《いしょう》の申請《しんせい》をすれば登録から3年以内は内容が公開されないという制度がある。秘密意《い》匠《しょう》の申請《しんせい》がない場合は、登録と同時に特許庁の「意匠《いしょう》広報」に公開される。先願主義では、デザインを考案した時点で出願することが大事で、出願時に製品化されているとはかぎらない。権利者が製品化する前に、第三者が公開された意匠《いしょう》で製品をつくって販売《はんばい》することが可能で、権利者が登録した意匠《いしょう》によって得られる正当な利益を損なう可能性があることから、この制度がある。

2019年に意匠法《いしょうほう》が大幅《おおはば》に改正され、

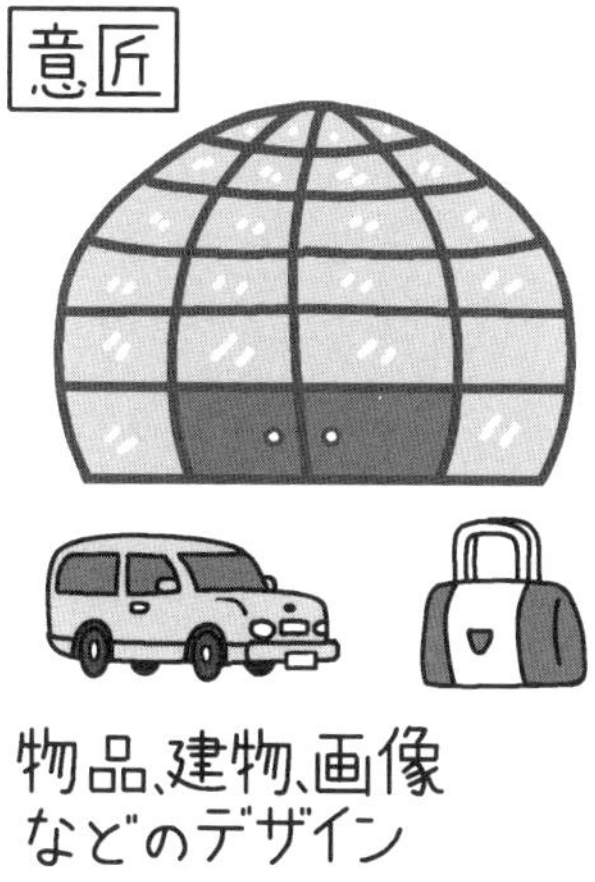

2020年4月から意匠《いしょう》の対象に画像、建築、内装《ないそう》のデザインが追加された。スマートフォンの時刻表示画面の画像や、建築物のデザイン、飲食店の内装《ないそう》などが意匠《いしょう》登録できるようになった。

またこの改正によって、意匠《いしょう》の保護期間は従来の「登録日から20年」が、「出願日から25年」に変更《へんこう》された。

商標――ブランドの信頼《しんらい》を守る大事な権利

商標は取引の目印として機能するもので、プラスチック材料、楽器、事務用品、化粧《けしょう》品《ひん》など商品やサービスの性質によって45に分けられた分類のいずれか、あるいは複数について出願する。

目印として機能する商標は、商品やサービスを提供するブランドの信頼《しんらい》を守るうえで重要な役割を果たしている。ブランドといえば、しばしばコピー商品の摘発《てきはつ》が話題になるバッグやアクセサリー、時計などファッションに関する世界的なブランドが思いうかぶだろう。ブランド（BRAND）は商標を意味する英語であり、実際にはあらゆる商品、サービスを提供する企業名《きぎょうめい》や商品名などが、他社の商品やサービスと識別するために機能している。

たとえば、A社の掃除機《そうじき》とB社の掃除機《そうじき》を見分けるのに、消費者はメーカー名、掃除機《そうじき》の商品名、広告に用いられる独自のキャラクターなどをみる。このようなものが商標登録の対象となる。商品とは、取引の対象として流通過程にのり、量産可能なものを指す。また金融《きんゆう》、輸送、通信、飲食、広告のような無形の商品であるサービス業務についても同様に商標登録ができる。サービス業務に関する商標が認められるようになったのは1992年からで、これを特にサービスマークという場合もある。

サービスマークの登録制度では、営利目的でない学校や病院も対象に含《ふく》んでいることから、私立の学校が校名や校章を商標登録している例も多くみられる。また、国立大学が独立行政法人になって個別に経営されることになり、相ついで校章などを商標登録した。これにより、その知名度や信用度を利用して、あたかもその学校と関係しているような名前をつけた商品・サービスなどに悪用されるのを防ぐことができる。

●商標の種類

商標は文字、図形、記号で表されるもの、

およびこれらと色彩《しきさい》を組み合わせたものとされていた。１９９８年の商標法改正で立体商標の登録が認められるようになり、タクシーの屋根についている広告灯や、ファストフードチェーンのマスコットキャラクターの人形なども対象となった。さらに２０１４年の改正で、ホログラムなど新しいタイプの商標が登録できるようになった。商標にはつぎのものがある。

・文字商標　カタカナ、ひらがな、漢字、アルファベット、数字などによって表される商標。メーカーの名称、商品名などで登録される。

・図形商標　写実的、あるいは図案化した図形や幾何学《きかがく》模様などから構成される商標。企《き》業《ぎょう》の目印となる動物などを図案化したマークといったものがある。

・記号商標　文字を図案化して組み合わせた記号、記号的な紋章《もんしょう》。企業《きぎょう》を示す目印となっているもの。

・立体商標　立体的形状のもの。ゆるキャラにも立体商標として登録されているものがある。

・結合商標　文字、図形、記号、立体的形状から２つ以上を組み合わせた商標。メーカー名と目印となる図形を組み合わせたものなどがある。

・動き商標　テレビコマーシャルなどで、メーカーを示す文字や図形が時間の経過によって変化するものが一例だ。

・ホログラム商標　文字や図形がホログラフィーなどの方法によって変化する商標。

・色彩《しきさい》のみからなる商標　単色または複数の色彩《しきさい》の組み合わせで識別できるもの。コンビニエンスストアの看板の色彩《しきさい》など、社名や名称を示す文字がなくても会社や商品を認識できるもの。

・音商標　音声、音楽、自然音からなる商標。テレビコマーシャルに使われる企業名《きぎょうめい》のサウンドロゴ、パソコンの起動音などが対象とされる。

・位置商標　商品などにつけられた図形の位置が特定される商標。

●一定の条件を満たせば永久に更新《こうしん》できる

商標では、対象となる商品・サービスについて普通《ふつう》名詞や、一般《いっぱん》に広く使われている名称、略称などは登録できない。たとえば、電子計算機を「コンピューター」、スマートフォンを「スマホ」という名称では商標登録できない。また、すでにある商標と外観、発音、意味が似ていてまぎらわしいものも認められない。

この商標登録の要件から、似た名前の商品が生まれたケースもある。明治乳業《めいじにゅうぎょう》（現・株式会社明治）が2002年に「明治おいしい牛乳」を発売したのに対し、森永乳業《もりながにゅうぎょう》は2004年に「森永のおいしい牛乳」を出した。両社とも「おいしい牛乳」という一般的《いっぱんてき》な形容詞と名詞からなる名称での商標は登録していない。ただし、パッケージのロゴについての登録はある。2社のほかにも「○○のおいしい牛乳」を出しているメーカーがある。

あらゆる商品・サービスが商標登録されているが、先進的な商品やサービスが広く普《ふ》及《きゅう》したことから、一般《いっぱん》名称のように使われている商標もある。たとえばポリバケツ、セロテープ、宅急便、シャープペンシル、ジェットコースターは、いずれも登録商標だ。

商標の保護期間は登録から10年だが、一定の要件を満たしていれば半永久的に更新《こうしん》することができる。これによって、世界のさまざまなブランド、企業《きぎょう》が自社の信用を維持《いじ》している。

その他の知的財産権

●著作権と著作隣《りん》接《せつ》権《けん》

知的財産権のなかでも保護する範囲《はんい》が広いのは著作権だ。著作権法では「思想又は感情を創作的に表現したものであって、文芸、学術、美術又は音楽の範囲《はんい》に属するもの」と定義している。産業財産権との大きな違《ちが》いは、アイデア自体ではなく、アイデア（思想や感情）をもとに創作したものが保護される点にある。また著作権は創作物が発表された時点で自動的に権利が発生し、登録手続きなどはない。

著作物や映画・音楽・美術・写真・マンガ作品のほか、芸術的な建築物、地図などが保護の対象となっている。情報技術の発展と急速な普及《ふきゅう》からコンピューター・プログラムやデータベースなども対象になっている。コンピューター・プログラムは、２００２年の特許法改正により特許の取得も可能になった。

そのほかに著作権が産業財産権と異なるのは、複製権、上演権などの支分権によって構成されている点だ。たとえば、ある小説についての著作権には、作家の公表権、氏名表示権、複製権、貸与権《たいよけん》、翻訳《ほんやく》・翻案権《ほんあんけん》などがかかわってくる。

著作権の保護期間は著作者の生存中とその死後50年間となっていたが、環太平洋《かんたいへいよう》パートナーシップ協定（ＴＴＰ）による法改正で、２０１８年から死後70年間に延長された。映画については、２００３年の著作権法改正によって、公表後70年間となっている。

著作隣接権《りんせつけん》とは、著作物を一般《いっぱん》の人びとに伝達する役割を果たす実演家、レコード制作者、放送事業者、有線放送事業者の４者に認められている。すでに発売されている音楽Ｃ

Dをテレビドラマの主題歌として使う場合には、作曲家などその著作者だけでなく、演奏家（実演者）とCD（レコード）制作者に対して、権利使用の許諾《きょだく》を受けるなどの手続きが必要となる。

これら著作権と著作隣接《りんせつ》権は、ともに売買できる。

●回路配置利用権——半導体のアイデアの権利

情報技術の飛躍的《ひやくてき》な進歩によって日本では1985年に、半導体集積回路配置の創作者のアイデアを保護する「半導体集積回路の回路配置に関する法律（半導体集積回路保護法）」が成立した。

情報技術の要《かなめ》である半導体集積回路は、その回路配置によって計算能力や機能が左右される。回路配置は容易にコピーできるが、従来の法律では特許あるいは著作権の対象とならなかったことから、この法律が制定された。これによって、独自に開発された半導体集積回路配置の創作者は、登録日から10年間、その回路配置の独占《どくせん》利用権を得られることにな

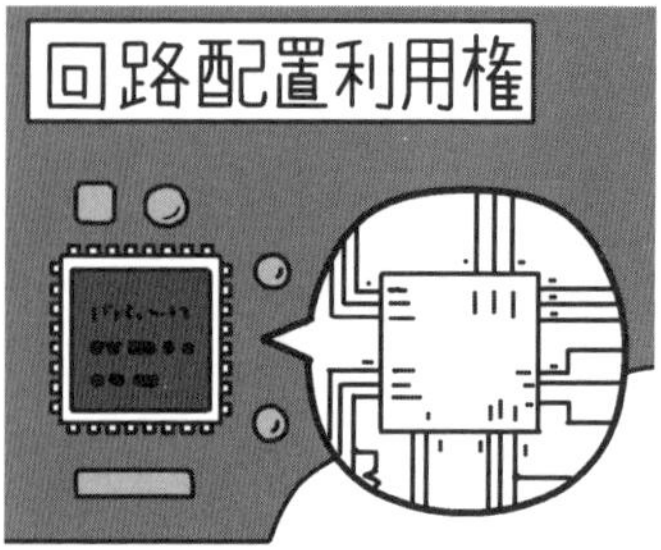

半導体の基盤に組み込まれた
集積回路独自の
回路配置を保護する

った。

●不正競争防止法

産業財産権や著作権によって保護されていない、あるいは出願はしているがまだ登録されていない知的財産に対する権利侵害《しんがい》を防ぐために設けられたのが不正競争防止法だ。

広く知られている商品の模倣品《もほうひん》、類似品や、著名なブランド名をまったく違《ちが》う分野の営業に使ったり、まぎらわしい名称を使用すると、公正な競争を妨《さまた》げる行為《こうい》として損害賠《ばい》償《しょう》などを求められる。化粧品《けしょうひん》のブランドの商標、あるいはその商標とまぎらわしい名称が喫茶店《きっさてん》の名前などに使われた場合、商標権では保護されないが、この法律によってブランドの信用やイメージが損なわれることを防止できる。インターネットで使われるドメインネームについても、登録商標などと同一、もしくは類似の名称を不正な目的で使用することを不正競争と規定している。

また不正競争防止法には、営業秘密の不正な取得、使用、開示を阻止《そし》する内容も盛《も》り込《こ》まれている。営業秘密は企業《きぎょう》の技術的ノウハウ、営業にかかわる顧客《こきゃく》データや販売《はんばい》マニュアルなどを指す。いわゆる産業スパイは、こうした企業《きぎょう》の重要な秘密情報を不正に他者に提供する行為《こうい》をすることだ。この法律は、個人が仕事を通じて知り得た内容を、転職などによって他社に流出することを防ぐことも目的としている。

情報技術の革新はＡＩ（人工知能）に代表される新たな技術によって、産業に大きな変化をもたらしている。企業《きぎょう》の競争力はデータとその分析《ぶんせき》方法、活用法によって左右されることから、情報技術にかかわる分野での不正な取引や使用などを対象とした不正競争防止法の改正が２０１８年に行われた。

●育成者権──植物の新品種の権利

植物品種の特許ともいうべきもので、種苗法《しゅびょうほう》によって定められており、農林水産省に登録される。イチゴの「とちおとめ」や米の「こしひかり」などは、長い研究期間をかけて開発された品種だ。特許が発明者に一定期間の技術独占権《どくせんけん》を与《あた》えるのと同様に、育成者権は植物の新品種の開発者が登録品種の種苗《しゅびょう》、栽培物《さいばいぶつ》、その加工品の販売《はんばい》などを独占《どくせん》できる権利だ。保護期間は花や農産物が25年、樹木が30年となっている。

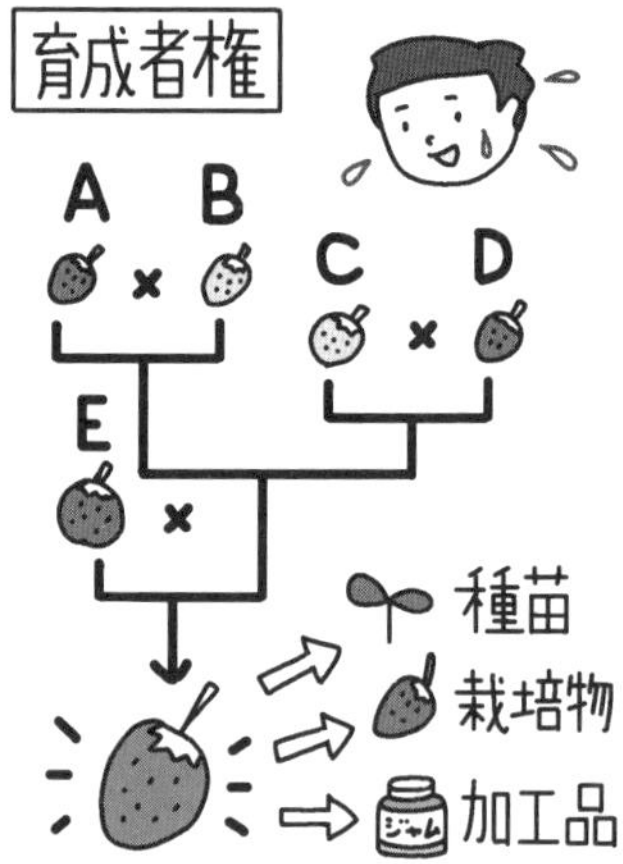

弁理士の仕事の内容と流れ

さまざまな手続きを経て知的財産権を登録する

特許の仕事

●出願までの手順

弁理士の仕事は開発者や発明者などから依頼を受けることで始まり、依頼者《いらいしゃ》によって進め方が違《ちが》ってくる。

特許出願の経験がない、あるいは少ない個人の発明者や中小企業《きぎょう》などの場合は、出願手順や費用の詳細《しょうさい》などから説明する必要もある。

出願代理の依頼《いらい》を受けたら、開発者から発明内容の説明を受け、その発明がすでに出願あるいは権利化されている特許に抵触《ていしょく》しないかどうかを調べる。問題がないと確認できたら、特許として権利化する範囲《はんい》などについて、開発者と協議して決める。依頼者《いらいしゃ》にとって、より高い価値をもつ特許にするための戦略は、弁理士としての力量が問われるところでもある。

知的財産部など専門部署をもつ企業《きぎょう》、特に大企業《だいきぎょう》の場合は、権利化の範囲《はんい》など特許戦略はすでに社内で決められていることが多く、弁理士は依頼《いらい》内容にしたがって出願書類を作成し、手続きを行う。

●出願のために作成する書類

特許の出願にあたっては願書、特許請求《せいきゅう》の範囲《はんい》、明細書、要約書、図面（化合物の合成方法など、発明内容によっては不要）を特許庁に提出しなければならない。これらの書類を作成するのは、代理人である弁理士だ。このなかで大きなウエートを占《し》めるのは、特許請求《せいきゅう》の範囲《はんい》と明細書だ。いずれも技術やアイデアの内容を、文章で的確に表現しなければならないので、文章力が求められる。

特許請求《せいきゅう》の範囲《はんい》は、クレームとも呼ばれている。ある発明について特許権のおよぶ範囲《はんい》を決める重要な書類で、ここには発明のポイントとなる複数の項目《こうもく》を入れることができる。出願後に特許庁から拒絶《きょぜつ》通知（特許を認められないという通知）がきた場合、特許請求《せいきゅう》の範囲《はんい》、明細書、図面の補正ができるが、最初に出願した特許請求《せいきゅう》の範囲《はんい》に記載《きさい》した項目《こうもく》に新たな項目《こうもく》を追加することはできない。最初に開発技術のどの部分を項目《こうもく》として入れるか、

図表1 特許権取得への道筋

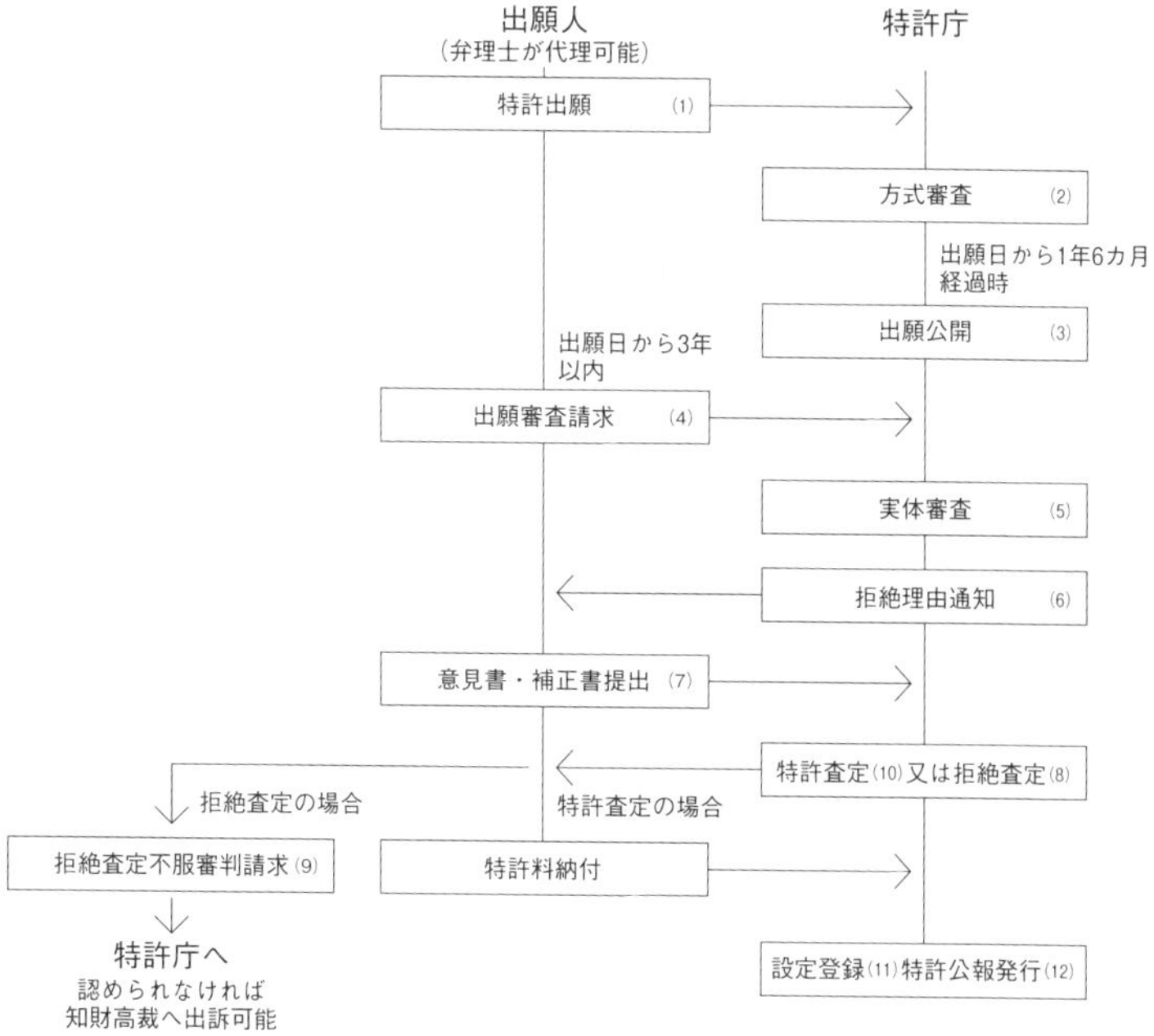

しっかり検討しておく必要がある。

明細書は、その名の通り権利化したい技術の目的、内容や効果などを文章で記したものだ。技術内容のディテールだけでなく、どういう点に新規性、進歩性があり、特許に値するのかを盛《も》り込《こ》んでいく。

図面も細部まで描《えが》いた正確なものでなければならず、図面作成の専門業者もある。そうした業者に図面を依頼《いらい》した場合も、弁理士はできあがった図面が妥当《だとう》かどうかを点検する責任がある。

必要な書類が整ったら、特許庁に書面またはオンラインで出願する。出願後には、出願審査請求書《しんさせいきゅうしょ》を提出する。同じ内容の発明があった場合、出願日が早いほうに優先権が与《あた》えられるが、出願時に発明内容を活かした商品やサービスの販売《はんばい》が決まっていない場合もあり、審査請求《しんさせいきゅう》を出さないこともある。出願日から3年以内に出願審査請求《しんさせいきゅう》を行わないと、出願を取り下げたものとして処理されるので、弁理士は依頼人《いらいにん》と協議して期限内に審査請《しんさせい》求《きゅう》するか否かを確認する。

●拒絶《きょぜつ》理由通知に対処する中間処理

審査《しんさ》は特許庁の審査官《しんさかん》によって行われる。審査官《しんさかん》は出願内容が特許の要件を満たしていないと判断した場合、拒絶《きょぜつ》理由通知書を出願人（代理人が出願している場合は代理人）に送付する。出願人（代理人）はこれに不服であれば、異議申立《もうした》てを行うことができる。拒絶《きょぜつ》理由に反論する意見書や、特許請求《せいきゅう》の範囲《はんい》の補正書などを作成し、特許としての要件を満たしていることを主張するのも弁理士の大事な仕事だ。特許庁の担当審査官《しんさかん》に面接して、出願内容の妥当性《だとうせい》を説明することもある。審査請求後《しんさせいきゅうご》のこのような手続きは、中間処理といわれている。

中間処理で対応したにもかかわらず拒絶《きょぜつ》査定された場合、審査官《しんさかん》の決定の取消しを求める「審判《しんぱん》の請求《せいきゅう》」を行うことができる。それでもなお拒絶審決《きょぜつしんけつ》が下された場合は、知的財産高等裁判所に「審決取消訴訟《しんけつとりけしそしょう》」を起こすことができる。その場合も、弁理士は訴訟《そしょう》代理人を務めることができる。

●特許の有効期間中も仕事は続く

こうした手順を経て特許が取得できると、その権利内容は「特許掲載公報《けいさい》」に掲載《けいさい》される。「特許掲載公報《けいさい》」の掲載日《けいさいび》から6カ月以内であれば、第三者が特許内容を不服とした場合に異議申立《もうした》てを行うことができる。この異議申立《もうした》てに対し、特許権者は権利内容を訂正《ていせい》することができる。このような対応をするのも、弁理士の仕事だ。

特許権は取得が確定した日から20年間有効で、この期間も弁理士の仕事は続く。特許が認められたら、登録料を支払《しはら》うことで権利が得られ、その後の20年間は毎年登録料を納付する。登録料を納付しないと特許権が消滅《しょうめつ》するので、弁理士はこうした支払《しはら》い期限の管理も担っている。また特許権者は特許を第三者にライセンス（実施許諾《じっしきょだく》）できる。ライセンス契約《けいやく》についても、弁理士は代理人としてかかわることができる。

第三者による特許侵害《しんがい》が認められ、それに対する訴訟《そしょう》を起こす場合には、弁理士は補佐人として陳述《ちんじゅつ》、尋問《じんもん》を行うことができる。さらに「特定侵害訴訟《しんがいそしょう》代理人」附記《ふき》登録をしていれば、弁護士との共同訴訟《そしょう》代理人を務めることができる。逆に依頼人《いらいにん》が侵害《しんがい》で訴《うった》え

図表2 実用新案権取得への道筋

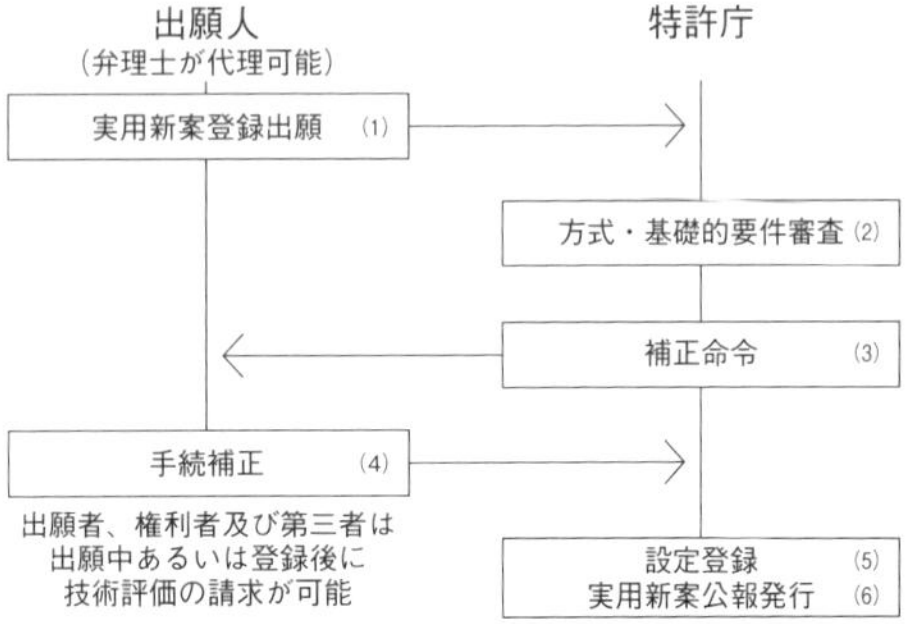

られた場合、訴訟《そしょう》での代理人、補佐人として裁判あるいは交渉《こうしょう》に臨むことになる。

実用新案の仕事

特許と同様に、願書、実用新案請求《せいきゅう》の範囲《はんい》、明細書、図面、要約書をそろえて出願する。技術の内容を文章で表した明細書を作成して出願するが、実用新案は物品の考案が対象であるため、必ず図面をいっしょに提出することになっている。基礎的《きそてき》要件などの審査《しんさ》により、実質的に無審査《むしんさ》で権利が取得できるので、特許のような中間処理や審判《しんぱん》の請求《せいきゅう》などは発生しない。

実用新案は、一般《いっぱん》にライフサイクルの短い商品に関する小発明が対象となることから、依頼《いらい》があったらスピーディーに対応する必要がある。

図表3 意匠権取得への道筋

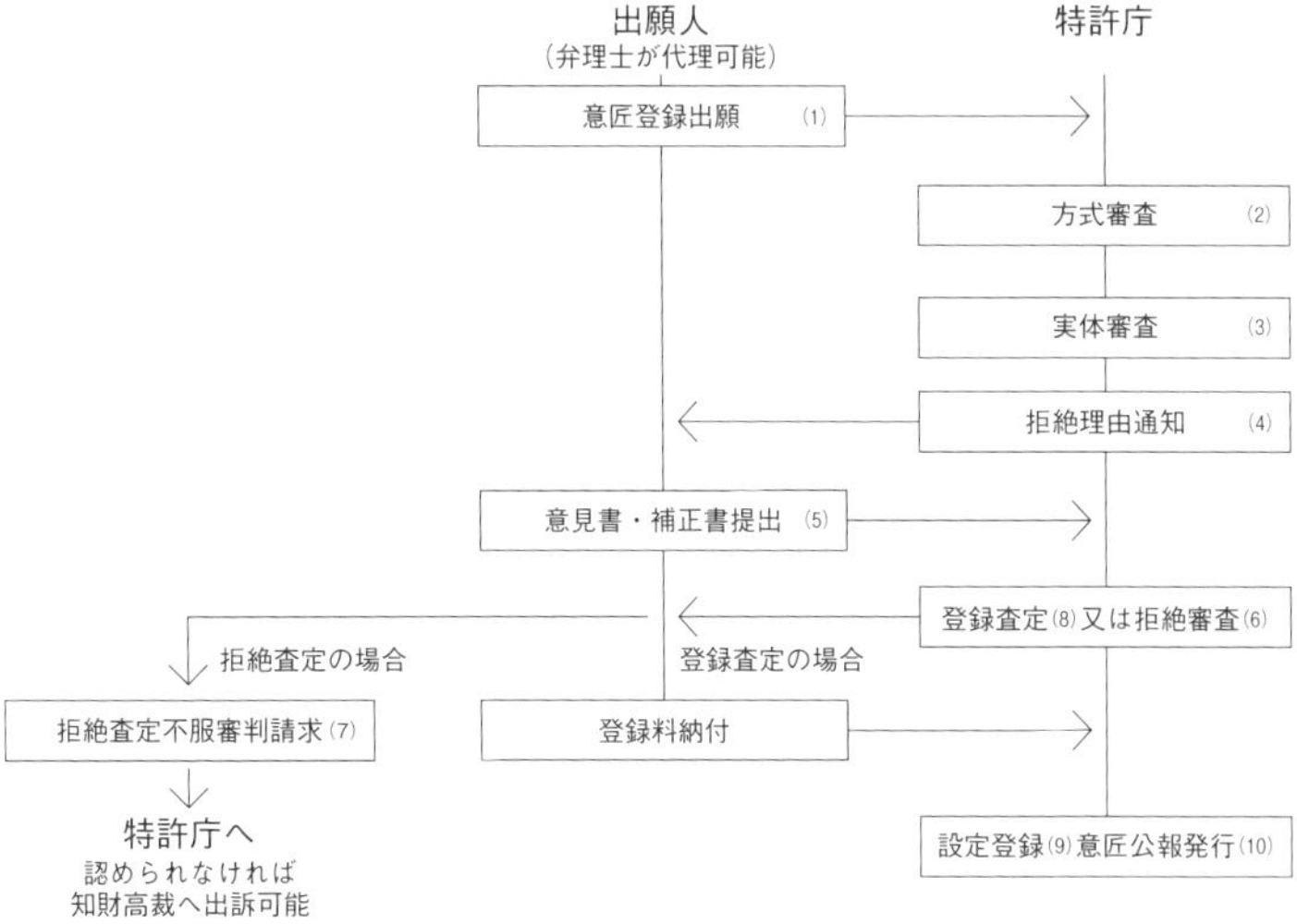

意匠《いしょう》の仕事

●デザインの独自性

製品やパッケージの形状、デザインなど、意匠《いしょう》が及ぶ範囲《はんい》は広い。工業製品の場合は新たな機能から生まれた形状、発明の一部である部品の形などを意匠《いしょう》登録して、特許権を補強する場合もある。そのほか、新しい機能を実現する容器の形状なども意匠《いしょう》になる。

また、デザインの独自性によりブランドの目印としての役割も担う。このような点から意匠《いしょう》は「知的財産の交差点」といわれ、知的財産にかかわる法律の領域が重複する分野でもある。出願にあたって先行する意匠《いしょう》の調査を行うのは、この場合も同様だ。

出願書類には必ず図面を添《そ》えなければならないが、図面より写真のほうが明確に提示できる場合は、写真を添《そ》えることもできる。立体ならば六面図、サイコロにたとえれば、一から六までのすべての面の図を作成する。折りたたみ椅子《いす》のように形が変わるものについては、たたんだ状態と、開いた状態の両方の図が必要になるなど、形状を明確に表すために十分な図を添付する。いずれの場合も、特許庁に指定された図の様式があり、正確な図が必要なので専門の図面作成者に依頼《いらい》することが多い。

形に独自性があるものならば、表面の模様などは重要でない。たとえばユニークな形のマグカップで、トラの絵が描《えが》かれている場合に、トラの絵も含《ふく》めて意匠《いしょう》登録すると、同じ形で絵のないマグカップに対して意匠権《いしょうけん》の侵害《しんがい》を問えないというリスクが生じる。よく似たデザインの類似品を防ぐためには、関連意匠《いしょう》として複数のパターンを同時に出願することもある。

出願後には、拒絶《きょぜつ》理由通知への対応などの中間処理のほか、特許と同様の審理《しんり》、審判《しんぱん》などにかかわる業務がある。

図表4 商標権取得への道筋

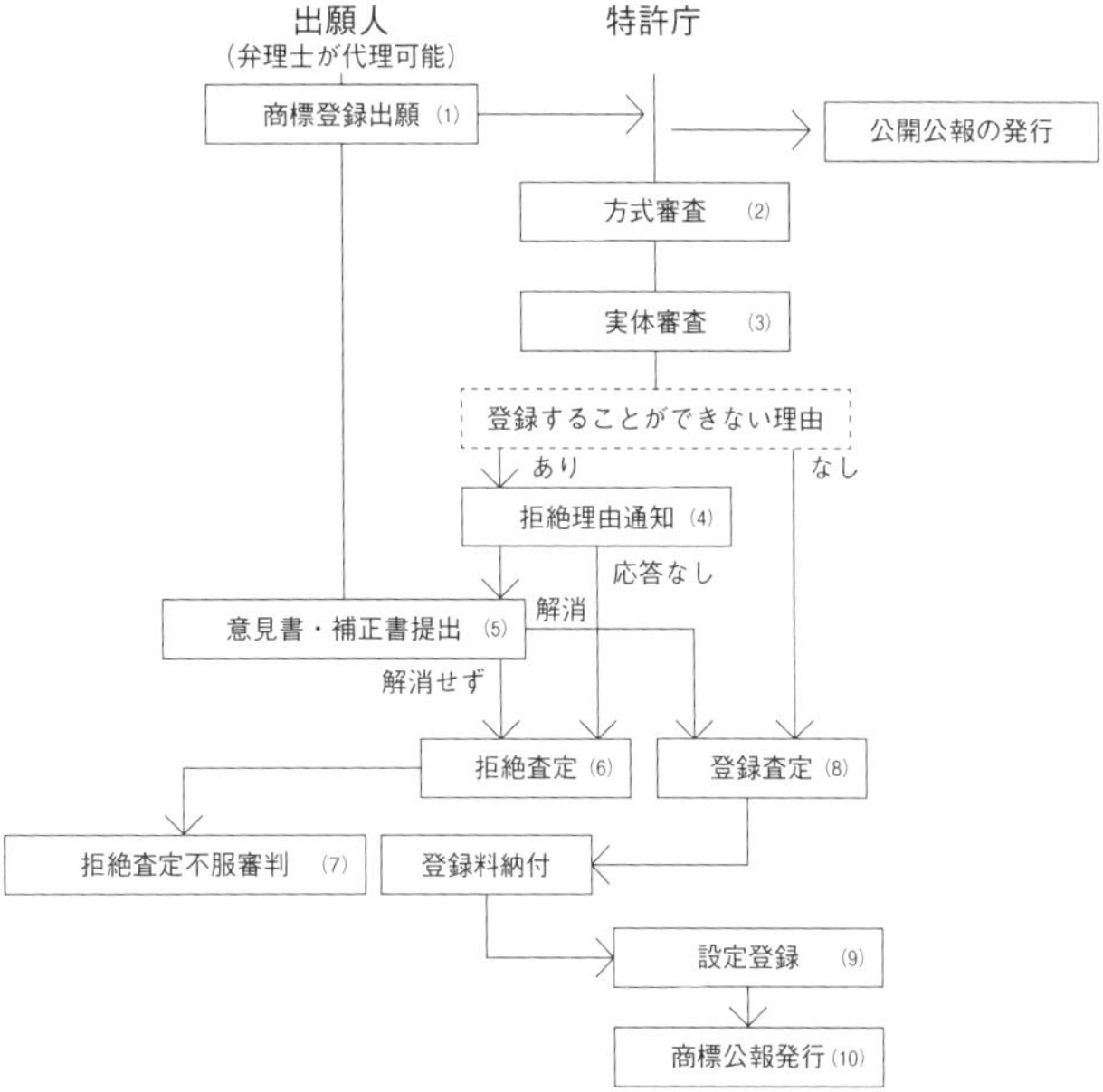

商標の仕事

●商標の特性

商標はネーミングやロゴなどを、決まった製品やサービスについて使用する権利を得るものだ。したがって、製品やサービスに使わない名称やロゴを登録することはできない。

商標は使いたい製品・サービスについて、45分類に分けられた区分を指定して登録するので、まず依頼者《いらいしゃ》の業務内容や製品などから、どの区分を指定するかを判断する。製品やサービスなどによっては、複数の分類で登録する場合ある。また文字、図形など10種類ある商標のうち、どのタイプで登録するのかもポイントとなる。ひとつの名称をカタカナ、ひらがな、アルファベットで別々に登録する、会社名と図案化した会社の目印を組み合わせるなど、さまざまな形での出願が可能だ。

商標の願書は、どのタイプの商標かによって説明内容、添付《てんぷ》する書類などが異なる。たとえば立体商標では図面あるいは写真を入れる。音商標の場合には、テンポなど詳細《しょうさい》を入れた楽譜《がくふ》と音を記録したCD-Rなどを添付《てんぷ》する。

●経験値が問われる分野

出願にさいしては、それぞれの分類で既存《きぞん》の商標と類似していないかどうかを調べるとともに、出願する分類で普通《ふつう》名称とみなされていないか、商品およびサービスの内容を示す言葉が適切かなどを判断する。この調査、判断には商標特有の知識が求められ、知財部のある大手企業《きぎょう》でも、商標にくわしい弁理士に調査を依頼《いらい》することがよくある。過去の判例などから審査《しんさ》の傾向を把握《はあく》しておくなど、経験値が重要だという点で特別な分野ともいえる。

商品のネーミングは消費者に対して大きなインパクトをもつので、競合する企業《きぎょう》が多い業種では、ネーミングによって他社製品と差別化する商標の知的財産としての価値は大きい。

●出願後の仕事

商標でも、特許と同様に出願後に拒絶《きょぜつ》される場合がある。そのため、調査の時点でそれを想定して対応策を講じておくことも必要だ。さらに拒絶《きょぜつ》査定不服審判《しんぱん》、無効審判《しんぱん》、異議申《もうし》立《た》てなどについて代理人として法的手続きを行う。

登録後の管理も大事な仕事だ。たとえば、ひらがなで登録した商標をカタカナで表記するなど、登録した商標と異なる表記をした場合、登録を取り消される可能性もある。また異なる表記をしたために、他者の登録商標を侵害《しんがい》してしまうリスクもある。このような点について顧客《こきゃく》にアドバイスするのも弁理士の役割だ。

商標権の有効期間は10年間だが、更新《こうしん》手続きにより半永久的にブランドを守ることができる。弁理士は更新《こうしん》の管理・手続きについても責任を負っている。

海外で知的財産権を取得する

●外国出願に関する仕事

弁理士の仕事には、海外での産業財産権取得もある。人や情報が国境を越《こ》えて行き来するように、技術や商品も地球規模でかけめぐる。経済のグローバル化が進むとともに、弁理士にとって諸外国への出願は日常的な業務の一部になっている。

知的財産権は各国の法律によって保護されており、日本で権利を取得していても、他国でそれが認められるわけではない。したがって、権利をもっていない国で類似品が販売《はんばい》されても、特許技術を使われても対抗《たいこう》手段はない。また、権利をもっていない国で、他者が同じ内容の特許や商標などをとってしまったら、そこでの事業展開の道は閉ざされてしまう。

あるいは日本製品の模倣品《もほうひん》が流布すると、品質などの問題から日本企業《きぎょう》の信用が損なわれることも考えられる。こうしたことから、海外における知的財産権の取得は不可欠になっている。

●知的財産権についての国際条約

知的財産権の国際的な保護を目的とする条約がある。その基本になっているのが、1883年に成立したパリ条約だ。産業財産権保護のために設けられたこの条約には三つの原則が掲《かか》げられている。その1番目が「内国民待遇《たいぐう》」。加盟国の国民もしくはその領域内に住所や企業《きぎょう》活動拠点《きょてん》をもっている人は、ほかの加盟国で出願した場合に、出願した国の国民と同様の知的財産権を得ることができる。

2番目は「優先権制度」。自国で出願した日から一定期間内に加盟国に出願すれば、自国の出願日と同じ日に出願したものと認められる。特許、実用新案については12カ月以内、意匠《いしょう》、商標は6カ月以内とされているので、外国出願を手がける場合には、この期限を守ることが大事なポイントになる。

3番目は特許と商標についての「権利独立」。ある国で無効審判《しんぱん》が出た場合にも、他国の権利には影響《えいきょう》しないとするものだ。

パリ条約は時代の変化に応じて改正されてきた。1970年に設立された国連の専門機関である世界知的所有権機関（WIPO）で、新たな知的財産保護にかかわる条約や取り決めもでき、外国出願のシステムも整備された。

WIPOを通じて出願をした場合でも、出願国での審査《しんさ》に入った後の手続きは、それぞれの国内法に従って行われ、その国における弁理士に相当する資格者が代理人になる。日本の弁理士は、出願した国の代理人の選定、連絡《れんらく》、中間処理などでの連携《れんけい》といった業務に当たる。

外国出願では、英語あるいは出願国の言語で書類を提出するため、翻訳《ほんやく》の作業がある。知的財産に関する翻訳《ほんやく》を手がける専門事業者もいるが、訳文の最終的なチェックは弁理士が責任を負う。少なくとも、国際機関や出願国の代理人とのやりとりに不自由ない英語力が求められる。

●特許

特許協力条約（ＰＣＴ）による国際出願は、自国の所管官庁に出願することにより、ＷＩＰＯを通してすべてのＰＣＴ加盟国に出願できるシステムだ。

ＰＣＴはパリ条約の特別取決めとして１９７０年に成立した。加盟国は１５３カ国・地域（２０２０年８月現在）となっている。ＰＣＴで日本から国際出願する場合は、特許庁に日本語または英語で出願すると、出願認定日が各国での出願日とみなされる。この場合、出願する指定国に日本を含《ふく》むこともできる。このシステムの特徴《とくちょう》は、各国の国内審査《しんさ》に入る前に、すでに公になっている類似した発明の有無についての国際調査があることだ。

日本語での出願の場合は国際調査を特許庁が行い、英語出願ならば国際機関が調査にあたり、出願人の請求《せいきゅう》があった場合に国際予備審査《しんさ》を行う。これによって、海外における類似の出願の有無、特許として認められる可能性をあらかじめ知ることができ、必要に応じて出願内容の補正ができる。国際調査を経て出願内容が国際公開され、出願日から30カ月以内に出願書類の翻訳文《ほんやくぶん》をそれぞれの国の監督《かんとく》官庁に提出して、各国での審査《しんさ》に移行する。弁理士は特許庁への出願を行うほか、各国で審査《しんさ》に入って以降の対応も担う。

ＰＣＴに加盟していない国に出願する場合を一般に外国出願といい、それぞれの国の知的財産監督《かんとく》官庁（日本の特許庁にあたる官庁）に、現地の代理人（弁理士にあたる資格者）を通して出願する。

●意匠《いしょう》

パリ条約は意匠《いしょう》の保護もうたっているが、デザインに関しては各国の知的財産権の考え方がかなり異なり、意匠権《いしょうけん》で保護しているケースと著作権で保護しているケースがある。現在ではＷＩＰＯ事務局を通して74の加盟国・機関（２０２０年7月現在）に一括《いっかつ》出願できる。

日本は２０１５年、意匠《いしょう》についての国際条約であるハーグ協定の締約国《ていやくこく》となり、この制度を利用して国際出願できるようになった。出願は英語、フランス語、スペイン語のいずれかで作成した書類をＷＩＰＯの事務局に提出する。書類に不備がないかどうかの審査《しんさ》を通れば、出願した意匠《いしょう》がＷＩＰＯで国際意匠《いしょう》として登録され、登録日から6カ月後に国際意匠《いしょう》広報で公表される。

ハーグ協定に加盟していない国については個別に出願手続きをすることになり、弁理士は現地代理人と連携《れんけい》して対処する。

●商標

商標に関する国際条約には、１８９１年にパリ条約の特別取決めとして成立したマドリッド協定があった。１９８９年に採択《さいたく》されたマドリッド協定議定書（プロトコル）により、自国で登録または出願した商標は、その国の監督官庁《かんとく》を通してWIPOに国際出願できるようになり、国際商標として管理されている。

日本では2000年からマドリッドプロトコルによる国際出願ができるようになった。英語で特許庁に出願すればWIPO事務局に送付され、国際登録されたのちに、出願人が登録を指定した国からの拒絶《きょぜつ》通知がなければ、指定国で登録商標として認められる。106の国・機関（2019年10月現在）の締約国《ていやくこく》にはEU知的財産庁も含《ふく》まれており、商標登録できるのは最大122カ国となっている。

弁理士は特許庁への手続きを行うほか、拒絶《きょぜつ》通知があった場合にはその国の代理人と連携《れんけい》して対処する。

国際登録された商標の有効期間は10年で、日本での登録と同様にWIPO事務局を通して一括更新《いっかつこうしん》できる。マドリッドプロトコルに加盟していない国に対しては、現地の代理人を通した個別の出願と、その後の対応が必要になる。

特定不正競争に関する業務

2000年の弁理士法改正により、不正競争防止法で特定不正競争の領域に弁理士が関《かん》与《よ》するようになった。特定不正競争は商標、意匠《いしょう》にかかわるものと、営業秘密のなかでも技術上の秘密とみなされるものが対象となっている。これらの領域では、弁理士の専門的な知識による的確な対処と判断が求められるケースが増えている。

特定不正競争に関して、弁理士は仲裁事件の手続きの代理をすることができ、国際的な仲裁機関での紛争《ふんそう》に関しても、代理人となる場合がある。これに関する民事訴訟《そしょう》では、当事者または訴訟《そしょう》代理人の補佐人として、陳述《ちんじゅつ》または尋問《じんもん》をすることができる。

特定不正競争のうち、技術上の秘密に関する事項《じこう》については、権利の売買およびライセンス契約《けいやく》の代理、媒介《ばいかい》、相談が弁理士の業務に加えられた。

期待される知財コンサルティング

近年は日本の産業を下支えしてきた、独自の技術をもつ中小企業《きぎょう》の知財の重要性に関心が高まっている。社内に知財の専門家がいない中小企業《きぎょう》は、技術やノウハウを守るために弁理士の知恵《ちえ》を必要とする場合が多い。日本の会社の数からいえば、中小企業《きぎょう》が圧倒的《あっとうてき》多数であり、そうした会社の多くは大企業《だいきぎょう》の下請《したう》けの仕事をするなかで、個別の分野で培《つちか》ってきた高い技術をもっている。そのような技術が日本の競争力を支えてきたといってもよい。

そうした技術を特許などの知的財産権として自社の強みにしたい中小企業《きぎょう》にとって、知財の専門家である弁理士は頼《たよ》りになるアドバイザーだ。独自技術のどの部分を権利化するのかなど、弁理士は開発者とともに知財戦略を構築することができる。中小企業《きぎょう》の場合は、開発者が気付いていない知財の発見・発掘《はっくつ》の可能性もある。そうした点も含《ふく》めて、知財全《ぜん》般《ぱん》についてコンサルティングの需要がある。

出願以外の仕事（日本弁理士会やその附属機関での活動）

弁理士資格を得た者が登録を義務づけられている日本弁理士会は、弁理士法に基づく法人で、弁理士業務の進歩、向上を目的に組織されている。弁理士会は、弁理士試験合格者に対する実務修習を実施《じっし》することをはじめ、知的財産権に関する調査・研究のほかに、小中高生に向けた知財の普及《ふきゅう》・啓蒙《けいもう》活動、中小企業《きぎょう》などを対象とした特許無料相談といった活動も積極的に行っている。このような多様な活動への参加も弁理士の仕事の一環《いっかん》となっている。

弁理士は、日本弁理士会の附属機関などが行う無料相談の相談員や支援《しえん》員《いん》などに任命されることもある。また、弁理士会では複数の専門委員会を設けて知財の研究・普及《ふきゅう》のためにさまざまな活動を行っているが、このような活動に参加することは、弁理士仲間と広く交流する機会にもなっている。

ほかにも、弁理士会を通して発明協会や自治体、地域の商工会議所などが開催《かいさい》する発明相談の相談員としての活動や、知財教育の講師として発明教室や高校・大学などで授業をすることもある。

弁理士が仕事をする場所

日本弁理士会に登録している弁理士の約72パーセントは特許事務所に勤務しているか経営している（2020年9月末現在）。企業《きぎょう》で知財部が拡充《かくじゅう》されていることから、会社勤務の弁理士は2006年5月末の約15パーセントから2020年には約24パーセントに増えている。

弁理士のうち5割強が東京で勤務している。出願件数が多い企業の本社および知財部が東京《とうきょう》に集中していることから、特許事務所の数も群を抜《ぬ》いている。ついで大阪《おおさか》府、神奈川《かながわ》県、愛知《あいち》県となっている。東京は出願先である特許庁に近いことから、さまざまな手続きで有利という事情もあった。出願がオンラインが主流になり、調査もデータベースを利用できるようになり、こうした状況《じょうきょう》は変わる可能性がある。

いずれにせよ、弁理士の仕事は全国にある。2000年代のはじめには弁理士ゼロの県もあったが、現在では47都道府県のすべてに弁理士がいる。地方では地場産業に眠《ねむ》っている知的財産を発掘《はっくつ》し、地域経済の発展に貢献《こうけん》するという役割も期待されている。オンラインでのやりとりが進むにしても、地域の産業の特性や事情のわかる弁理士は、地方の企《き》業《ぎょう》にとって心強い味方だろう。

●特許事務所

特許事務所の7割ほどは、弁理士が一人の小規模事務所だ。弁理士法により、同じ分野の技術開発をする競合企《き》業《ぎょう》の依頼《いらい》は、利益相反（一方の利益となり、他方の不利益になる）として受けることができない。このため、個人事務所の場合はさまざまな分野の知的財産を扱《あつか》うことも少なくない。

●法律事務所

ごく一部だが、法律事務所あるいは特許法律事務所の一員として知的財産分野の専門性を活かす弁理士もいる。知財の侵害《しんがい》訴訟《そしょう》をはじめとする紛争《ふんそう》処理、ライセンス契約《けいやく》、不正競争防止にかかわる手続きなどが増えている。

●企業《きぎょう》の知的財産部

ものづくりをする企《き》業《ぎょう》の多くが知財部など知的財産を扱《あつか》う部署を設けている。入社後に知財部に配属されて資格を取得する、あるいは資格を取得してからキャリア採用で企《き》業《ぎょう》に入る弁理士もいる。

企業内《きぎょうない》弁理士の仕事は、社内の研究・開発成果について知的財産として権利化することをはじめ、収益をあげるための知財戦略の構築、他社による権利侵害《しんがい》のチェック、侵害《しんがい》についての紛争《ふんそう》処理などがある。その業務は国内にとどまらず、海外でも同様の知財戦略あるいは管理が求められる。

またファッション界をはじめとする著名ブランドを扱《あつか》う企業《きぎょう》には、商標や意匠《いしょう》などを管理する知財部がある。知財の侵害《しんがい》に対する法的対処のほか、日本へのコピー商品の輸入を防ぐために税関職員を対象として、正規品とコピー商品を見分ける講習会を開くなど、自社ブランドを守るためにさまざまな努力を払《はら》っている。

●技術移転機関（ＴＬＯ）

大学や研究機関と企業《きぎょう》との橋渡《はしわた》しをする機関で、大学の研究成果の権利化と産業化を目的として設立された。特に弁理士の資格が要求される職場ではなく、勤務する資格者もまだわずかだが、最先端《さいせんたん》の研究にふれられるという点で、理系出身の弁理士にとってはおもしろい職場といえる。

大学、あるいは大学が連携《れんけい》して設立し、経済産業省および文部科学省の承認を受けたＴＬＯは全国に34機関（２０２０年5月末現在）ある。

ミニドキュメント 1 大学の知的財産を管理する弁理士

さまざまな分野の発明を実用化したい企業とつなぐ

近畿《きんき》大学《だいがく》リエゾンセンター
塚本《つかもと》和也《かずや》さん

大学の知的財産を扱《あつか》う

塚本和也さんは、近畿大学の知的財産を扱《あつか》うリエゾンセンターに勤務している。近畿大学は世界ではじめて完全養殖《ようしょく》に成功したクロマグロ「近大マグロ」で知られている。「近大マグロ」は登録商標で、養殖装置《ようしょくそうち》や配合飼料《しりょう》などで特許を取得している。こうした学内の研究から生まれた技術に関する知財の出願、管理などを担うのがリエゾンセンターだ。

同大学の特許技術はホームページに掲載《けいさい》されており、その技術を実用化したいという企《き》業《ぎょう》のアプローチを受けて、研究者との共同研究・開発に発展させるのもリエゾンセンターの役割である。そうした共同開発から新たに生まれた技術について、特許戦略を提案したり、その特許に関するライセンス契約《けいやく》などの業務もある。

企《き》業《ぎょう》で開発にかかわり弁理士を知る

乗り物好きだった塚本さんは、F1の技術者をめざして近畿大学理工学部機械工学科に進学した。自動車メーカーへの就職は狭《せま》き門であると知った塚本さんは、近畿大学大学院機械工学専攻《せんこう》の修士課程を経て、ノーリツ鋼《こう》機《き》株式会社に就職した。当時、ノーリツ鋼機は写真処理機器で世界のトップメーカーで、高い技術力を誇《ほこ》っていた。写真技術がデジタルに移行しつつあった時期で、塚本さんは同社の研究室でレーザーや液晶《えきしょう》などでの写真焼き付け技術を開発していた。

そうしたなか、特許出願の打ち合わせで外部の特許事務所の弁理士と面談した。はじめての出願で、よくわからないままに書いた発明提案書や図面について、発明はどういう経《けい》緯《い》で生まれたのかなど、いろいろ質問された。後日、その弁理士が書いた明細書や図面を見て驚《おどろ》いたという。

「私が気付いていなかった発明の要素、技術の新しさまで引き出されていた。こういう観点もあるのか、ここまで発明の内容を広げてもらえるのかと感心しました。ヒアリング能力にすぐれた、すごい人だと思いました」

知財部に異動したことから弁理士をめざす

その後、塚本さんは同社に新設された知的財産部に異動になった。技術者として開発にたずさわりたかった塚本さんだが、知財強化のために技術者がぜひ必要だと説得された。知財部では競合他社の特許出願状況《じょうきょう》や開発内容を調べるほか、過去の特許文献《ぶんけん》の調査のために、デジタル化されていない古い特許書類など、膨大《ぼうだい》な資料がある大阪府の特許情報センターによく行った。そこに置かれていた弁理士試験の願書を見て、知財で最高の資格を取ろうと思いたったという。

当時の勤務地・和歌山《わかやま》市から大阪の予備校に通って入門コースを受講、それなりに1年間勉強したが、最初の受験では惨敗《ざんぱい》した。

受験ゼミで勉強の仕方が変わる

その後、転勤先の東京で弁理士資格の受験ゼミに通い、一気に受験勉強が進んだ。

「受験予備校が充実《じゅうじつ》している東京で勉強しなければもったいないと思いました。ゼミに入って勉強の仕方はまったく変わり、受験仲間もできました」

受験仲間からは試験に関する情報も入ってくるし、おたがいの競争心も湧《わ》いて勉強のモチベーションがあがった。20人から30人のゼミにはさまざまな年代、職業の人たちがいた。多様な人たちとの出会いは、大きな刺激《しげき》となったようだ。土日は朝からずっと、この仲間といっしょに勉強していた。今もこの仲間とは連絡《れんらく》を取り合い、会うこともある。仕事に関した情報交換《こうかん》ができるだけでなく、ここから人脈もできたそうだ。

資格取得から近畿大学へ

勉強に力が入るようになった塚本さんは、平日も出勤前の2時間、昼休憩《ひるきゅうけい》の1時間、退社後の5時間と1日に計8時間は勉強していた。合格まであと一歩と思えれば「自然とこのくらい勉強するようになる」そうだ。

この間にノーリツ鋼機はヘルスケア分野やM&Aに事業の軸足《じくあし》を移していた。塚本さんはものづくりの会社で知財マネジメントのできる人材を探していた大阪の株式会社フジ医《い》療器《りょうき》を紹介《しょうかい》され、転職した2015年に弁理士資格を得た。フジ医療器では唯一《ゆいいつ》の弁理士として、出願から訴訟《そしょう》まで、知財全般《ぜんぱん》のマネジメントを経験した。やりがいもあったが、たまたま母校の近畿大学でキャリア採用（実務経験のある人の採用）があることを知り応《おう》募《ぼ》。弁理士資格を活かせる仕事がしたいと訴《うった》え、リエゾンセンターに配属となった。

企業《きぎょう》とはまったく違《ちが》う観点が必要

近畿大学には理工学部をはじめ、医学部、薬学部、農学部、生物理工学部など発明・開発にかかわる多様なジャンルの全14学部があ

母校の近畿大学に弁理士として転職した塚本さん

り、理系だけで約1000人の研究者がいる。リエゾンセンターには、実にさまざまな分野の技術、発明についての相談がある。

「大変だけど、いろいろな分野の発明の話を聞けるのは楽しいです」

大学の研究から生まれる発明、発見は実用化の方向性は決まっていないという点で、企《き》業《ぎょう》の開発とは大きく異なる。企業《きぎょう》の場合は、たとえばめざす性能を実現するための開発だ。従って、特許出願にさいしても明細書の書き方が違《ちが》ってくる。

塚本さんの仕事は、まず研究者に開発の経《けい》緯《い》などについて聞き、特許出願できるかを判断し、どう権利化していくのか検討する。すぐに出願したほうがよい場合もあれば、出願するには、もう一歩研究を進めて出願ポイントを明確にするほうがいい場合もある。そのさいに役立っているのが、自身が開発者として弁理士にヒアリングされた経験だ。

「今でも、かつて受けたヒアリングは鮮明《せんめい》に覚えていて、そのやり方を意識して、発明や発見の要点を研究者から引き出せるようにしています」

大学ならではの契約《けいやく》内容

リエゾンセンターには外部特許事務所の弁理士が一人、非常勤で来ており、特許出願は主にこの弁理士が担っている。塚本さんの仕事は5割が技術相談で、研究者へのヒアリング、および同大学の特許技術を実用化したいという企業《きぎょう》との橋渡《はしわた》しだという。あとの5割は出願と、共同開発・研究する企業《きぎょう》との契約《けいやく》関連の業務が半々くらいだ。

契約《けいやく》では大学ならではの特別な点がある。

特許法では共同出願した場合、特許権は出願者全員の共有となり、その特許技術を利用した実施《じっし》（製品にして販売《はんばい》するなど）はそれぞれが単独で行える。しかし、大学が製品をつくり販売《はんばい》することはない。このため「不実施《ふじっし》補償《ほしょう》契約《けいやく》」というライセンス契約《けいやく》を結んで、企業《きぎょう》が得た利益の一定割合を還元《かんげん》してもらい、研究・開発費の一部を回収するのだ。

共同開発の相手が法務部のあるような企業《きぎょう》だと、特許法の条文を盾に「不実施補償《ふじっしほしょう》契約《けいやく》」を渋《しぶ》る場合もあるという。そうした相手との交渉《こうしょう》もしなければならない。これは完全に法律の領域での仕事である。

共同開発から生まれる製品

企業《きぎょう》との共同研究・開発では、「近大マグロ」の皮から抽出《ちゅうしゅつ》したコラーゲンを利用した化粧品《けしょうひん》やグミなど、さまざまな製品が生まれている。塚本さんがはじめて開発から商品化までかかわったのが、株式会社髙島屋《たかしまや》と共同開発した「カンカ入りカレー」だった。髙島屋から商品開発を相談されて、オリジナルカレーを作ることになり、塚本さんがこの案

近畿大学と髙島屋が共同開発した「カンカ入りカレー」

件のリーダーに抜擢《ばってき》された。リエゾンセンターの入所時に「カレーにはまっています」と自己紹介《しょうかい》したからのようだ。

開発するカレーで近大らしさを出す特許技術として、美肌《びはだ》・抗酸化《こうさんか》・アンチエイジングに効果があるカンカが選ばれた。カンカとは、近大薬学総合研究所が研究してきた砂漠《さばく》人参（カンカニクジュヨウ）のことで、近畿大学は「カンカニクジュヨウ抽出物《ちゅうしゅつぶつ》」で特許を取得している。

試作品の試食検討会、パッケージデザイン、そこに記載《きさい》する技術的文言の検討、大学のロゴの配置など、商品企画《きかく》そのものに塚本さんはかかわった。こうした案件でライセンス収入を得る契約《けいやく》を結ぶのも、リエゾンセンターの仕事だ。

大学の知財を扱《あつか》うおもしろさ

「弁理士の醍醐味《だいごみ》は、世に出ていない新しい技術を真っ先に知ることができることだと思います。大学はその最先端《さいせんたん》です。出願した技術に目を留めた企業《きぎょう》が実用化したいという。出願する時には何になるのかわからなかったものが、こんなふうに形になるのだという発見もおもしろいです」

企業《きぎょう》の知財部と異なり、個々の研究中心の大学では比較的ゆったり仕事ができると思っていたそうだが、実際には学内の研究者からの相談や、企業《きぎょう》からのアプローチなど、対応しなければならないことは思っていた以上に多かった。

「締《し》め切《き》りは厳しくないけれど、仕事は多様で量も多くて忙《いそが》しいです」

大学の職員ということでいえば、夏休みと冬休みがそれぞれ2週間ほどとれるのが、企業《きぎょう》や特許事務所と違《ちが》うところかもしれない。

専権業務だけではない

弁理士をめざす人には、「難しい試験だけど、だからこそあきらめずに挑戦《ちょうせん》してほしい」と塚本さんはいう。

大学の知財は弁理士の専権業務の枠《わく》に留まらず、著作権にかかわる案件も多い。塚本さんは著作権について「弁理士試験で勉強した時以上に学んでいる」そうだ。

弁理士として蓄積してきた知識と経験で、共同研究・開発の相談に知財の専門家ならではのアドバイスをすることにやりがいを見出している。もし弁理士の専権業務である出願代理、明細書などを書く仕事をバリバリしたいのであれば、特許事務所に入るか、独立するほうがいいだろうという。

弁理士という資格は独立できるという「安心感もある」が、経験を活かして長く活躍《かつやく》できるのがよいという。扱《あつか》う案件について厳しい守秘義務があるのは、産業社会で重要な情報に接することができる特権をもつ資格だということもできる。その資格をもっていることが、社会的責任という観点からも自信になっている。

「弁理士をめざした時は、資格を取った先について深く考えていませんでした。資格によってキャリアの選択肢《せんたくし》が増え、弁理士になってほんとうによかったと思います」

いずれは、企業《きぎょう》と大学の両方で知財を手がけた経験を活かして、産学連携《れんけい》の発展に貢献《こうけん》する知財コンサルタントをしたいそうだ。

ミニドキュメント 2 特許事務所に勤務して子育てする弁理士

知財で開発努力に報い産業を支えるという自負

特許《とっきょ》業務《ぎょうむ》法人《ほうじん》 かいせい特許《とっきょ》事務所《じむしょ》
鈴木《すずき》ひとみさん

特許の授業で知った弁理士

名古屋《なごや》市の特許事務所に勤務する鈴木ひとみさんは、子育て真っ最中の弁理士だ。

鈴木さんは名古屋工業大学工学部応用化学科3年の時、弁理士が講師を務める特許の授業を選択《せんたく》して、弁理士の存在を知った。弁理士の仕事に関心をもってインターネットで調べた時の印象は、「すごくカタそうな仕事」というものだった。まだネット上の情報も少なかったので、具体的なイメージは得られなかったようだ。ちょうどそのころ、主人公の弁護士が「かっこいい」と思う外国のテレビドラマにはまっていた。弁護士にあこがれたが、法学部に入り直す勇気はなかった。しかし、理系の知識と法律の知識をもつ弁理士ならば、大学で学んだことを活かして法律の分野で仕事ができるのではないかと思ったそうだ。

特許事務所に入って弁理士をめざす

進路を決める時期になり、周囲の学生の多くはメーカーなど技術系の進路を選んでいた。メーカーは自分に合わないと思っていた鈴木さんは、弁理士ならば工学部で学んだことが強みになるだろうと考え、特許事務所に絞《しぼ》って就職活動をした。だが新卒を採用する特許事務所は少なく、門前払《もんぜんばら》いされたこともあった。実務経験のある即戦力《そくせんりょく》となる人材を優先的に採用するのだろう。そうしたなかで、受験費用の補助もしてくれるという、中小規模の特許事務所に入ることができた。

事務所では一般企業《いっぱんきぎょう》のような新人研修もなく、「名刺の出し方ひとつから、上司の見よう見まねで覚えました」という。事務所に入って最初の仕事は、特許庁が発行する公開特許公報や特許掲載《けいさい》公報をひたすら読むことだった。公開特許公報は出願から1年半後に出願書類を公開するもので、特許掲載《けいさい》公報は特許権を取得した出願案件の内容を公開するものだ。いずれも、先行技術を知ることができるだけでなく、出願書類の書き方などを学ぶことができる。

基礎的《きそてき》な知識を得たところで、上司のアシスタント的な調査や文章作成などをして、実務経験を積んでいった。「3年目までは仕事を覚えるので精一杯《せいいっぱい》でした」という鈴木さん、4年目に入って弁理士試験の受験勉強を始めた。その年は結婚《けっこん》した年でもある。学生時代からおつきあいしていたお相手も、弁理士をめざしていた。

「夫は最初の仕事がつらかったみたいで、私が楽しそうに働いているのを見て、私とは別の特許事務所に転職していました」

受験勉強の日々

予備校の通信講座で勉強したが、最初の2年は「だらだらやっていて」2回受験したものの「さんざんな結果」だった。3年目から本腰《ほんごし》を入れて、土日はまるまる勉強にあてた。「夫もいっしょに受験勉強をしていたので、ライバルというか、身近に受験仲間がいたことは刺激《しげき》になりました。片方が勉強していると、自分もやらなくてはと思ったりして」

3回目の受験で第一関門の短答式筆記試験に合格し、その後2年間は短答式試験が免除《めんじょ》になるので、つぎの受験までの1年間は論文式試験に備えて「寝《ね》る間も惜《お》しんで、人生でいちばん勉強した期間」だったという。4回目の受験で2人そろって合格した。

試験の論文に限らず、文章を書くことは、本を読むのが好きだった鈴木さんにとっては苦にならない。法律の勉強も、仕組みを知るのが好きなので抵抗《ていこう》はなかったという。「そう思うと、あまり理系になじんでいなかったのかもしれません」と、学生時代をふり返る。

弁理士として独り立ちする

弁理士資格を得たことによって、事務所の仕事でいちばん変わったのは、自分で新しい顧客《こきゃく》の依頼《いらい》を受けられるようになったことだ。弁理士法で出願代理は資格者しかできないため、資格がなければ顧客《こきゃく》の依頼《いらい》を引き受けることはできない。

鈴木さんは弁理士とは異なる分野の専門家の話も聞きたいと思い、名古屋市の士業（弁護士など「士」のつく国家資格をもつ人たち）の交流会に参加することも多いそうだ。そうした場に参加できるのも、資格者になったメリットだろう。弁理士はほかの士業に比べて人数が少ないこともあり、たとえば知り合った司法書士から商標登録出願をしたいという顧客《こきゃく》を紹介《しょうかい》されることもある。

工学部出身の鈴木さんは特許を扱《あつか》うことが多いが、そうした商標や意匠《いしょう》についての相談にも対応している。そのさいに役立ったのが、弁理士試験合格後に義務づけられている日本弁理士会の実務修習だった。受験勉強ではわからなかった、実務に関する基本的な知識を得られた。その知識をもとに上司にわからないことを教えてもらいながら、商標や意匠《いしょう》の

夫婦で別の特許事務所で弁理士として働きながら、仕事も家庭も大事にしている

出願で求められる要件、書類作成で注意すべきポイントを習得して、経験を積んできた。

子どもをもって変わった働き方

事務所に就職して以来、指導を受けていた上司が独立して新しい事務所を開設することになり、鈴木さんもその事務所に移籍《いせき》した。その後に出産し、約1年間の産休・育休をとったそうだ。「その期間は社会との接点がまったくないことが、とてもストレスでした」という鈴木さんは、子どもが1歳《さい》になる少し前に仕事に復帰した。

以前は仕事終わりの時間を決めずに、その日の仕事の切りのいいところまでやり、退社が夜7時、8時になることも少なくなかった。子どもを保育園に預けてからは、お迎《むか》えの時間に合わせて事務所を出なければならない。

事務所は出勤時間のコアタイムはあるが、仕事時間は自分の裁量で決められる自由度が高いので、その点では問題はない。ただ、以前より早く仕事を切り上げることになったので、平日にやり切れなかった仕事を、土日に家でやることもたまにあるそうだ。

朝は子どもを保育園に送って出勤し、夜は子どもが寝《ね》た後に家事をこなす。夫が子どもの面倒《めんどう》を見てくれる土日は、その週にやり残した家事や仕事をする。

時には、保育園から子どもが熱を出したというような連絡《れんらく》があって、いつもより早くに事務所を出なければならないこともある。そうしたことも含《ふく》めて、弁理士は子どもがいても仕事がしやすいという。

「事務所の理解があるので私は恵《めぐ》まれているかもしれませんが、がむしゃらに仕事をがんばるというのではなく、仕事と家庭、両方とも大事にできると感じています」

弁理士の仕事の難しさ、やりがい

弁理士の仕事の難しさについて、鈴木さんは「特許ならば、特許になると信じて明細書を書かないと、審査《しんさ》を通る書類にならない」ことだという。顧客《こきゃく》が開発した技術から特許になるところを見出し、特許になると信じられるところまでの道筋をつけるために開発者と面談を重ねて、出願するポイントを詰《つ》めていく。それには、先行の特許文献《ぶんけん》も精査しておく必要がある。

そのようにして出願し、特許が取得できた時には達成感がある。そのプロセスに鈴木さんは弁理士の仕事のやりがいを感じている。

「弁理士という職業はあまり知られていない

実際の仕事はパソコンの前で書類を書く時間がほとんどの「地味な仕事」

けれど、自分ががんばってやったぶんだけ報われる仕事です。特許をはじめとする知財で開発者の努力に報い、開発した企業《きぎょう》の事業に貢献《こうけん》することができます。そういう役割を担う弁理士は、産業社会の縁《えん》の下の力持ちであり、日本の産業を下支えしているという自負があります」

これから弁理士としてやりたいこと

現在の事務所の顧客《こきゃく》は大企業《だいきぎょう》が多く、各社の担当者も出願に慣れていて、すでに出願の方針は決められている場合が多い。従って、鈴木さんに求められる仕事も、顧客《こきゃく》が決めた方針に従った明細書を書くことになる。近年、ますます知財戦略が重視されるようになり、大企業《だいきぎょう》は社内で出願方針を決定する傾向《けいこう》が強くなっているようだ。

鈴木さんが手がけているのは、自動車部品関連の特許が多い。ある分野の製品を一連のシリーズとして出願することもあり、そうした案件では最初にその分野の技術を勉強しておけば、その知識を流用して対応していけるそうだ。

弁理士として10年ほど仕事をしてきて、鈴木さんは新しい視点で仕事をしたいという思いを抱《いだ》いている。

「実家が町工場を経営していることもあり、中小の事業所に貢献《こうけん》できる仕事をしたいと思うようになっています」

すぐれた技術をもつ中小企業《きぎょう》でも、特許をはじめとする知的財産制度をよく知らないところも多い。日本弁理士会の広報センターの活動に参加している鈴木さんは、中小企業《きぎょう》支援《しえん》のプログラムをもっと知ってもらえるような活動もしたいという。特許だけでなく、意匠《いしょう》や商標などを活用した幅広《はばひろ》い知財戦略を提案するコンサルティングもしてみたい。

今後、弁理士の仕事の領域でもＡＩの活用が進めば「付加価値のない、単純な調査などはＡＩになっても仕方ないのでは」と鈴木さんは見ている。そうなった時に弁理士の存在意義を示すのが、顧客《こきゃく》が求め、望んでいることを感じ取れるコンサルティングのスキルになるだろう。どの技術が顧客《こきゃく》の強みであり、コアの技術なのかを引き出す能力が大事になるという。これは中小企業《きぎょう》支援《しえん》にも通じることだ。

弁理士という選択肢《せんたくし》

理系の学部で学んだ場合、就職先となるのはメーカーの製造現場や研究所などになることが多い。そうした進路に違和感《いわかん》をもつ人もいるのではないか。

「大学で実験が向いていない、ものづくりの現場に入るのは向いていないと思った人にとって、理系で学んだことが活かせる弁理士という選択肢《せんたくし》があるのは、いいことだと思います。ほとんどがデスクワークだからアクティブでなくても活躍《かつやく》できます」

弁理士試験の法律の勉強については、知財関連の法律に範囲《はんい》が限られているので、ハードルは高くないという。

実際の仕事は、パソコンの前で書類を書いていることがほとんどで、それ自体は「地味な仕事」だそうだ。そのなかにたとえば「産業社会に貢献《こうけん》している」というやりがい、楽しみを見いだせる人が向いていると、鈴木さんはいう。

ミニドキュメント 3 企業の知的財産を守る弁理士

知的財産を通じて事業リスクを排除する

エヌ・イー ケムキャット株式会社
阿出川《あでがわ》 豊《ゆたか》さん

メーカーの知的財産の番人

阿出川豊さんは国内最大級の触媒《しょくばい》メーカーであるエヌ・イー ケムキャット株式会社に勤務する弁理士だ。同社の沼津《ぬまづ》とつくば両事業所にまたがる研究開発センター内四部門のひとつである技術管理室で室長を務める。同センターや事業所生産技術部門で生まれた発明の特許出願など知的財産に関する業務と、センター全体の技術マネージメント業務を担っている。出願で手がけるのは、主に自動車排《はい》気ガスの有害物質を無害化する触媒《しょくばい》に関する技術だという。たとえばディーゼル自動車の排《はい》気ガスから大気汚染《おせん》物質である窒素《ちっそ》酸化物（NO_x）を化学反応を利用して除去、無害化する。この化学反応を少量でコントロールするのが触媒《しょくばい》だ。競争相手の多い分野で、アメリカ・カリフォルニア州大気資源局の世界でもっとも厳しい規制に対応すべく、世界中で技術開発が進められている。この規制をクリアする技術が、この分野におけるグローバル市場での優位性につながるからだ。

開発者として弁理士を知った

阿出川さんは東京大学工学部出身だ。工学部を選んだのは、科学者か医師になりたかった小学生のころに読んだ、自身の出身地・愛知県にまつわる偉人伝《いじんでん》の影響《えいきょう》があるかもしれないという。研究者として高性能合金を発明して世界の「鉄鋼《てっこう》の父」といわれた本多光太《ほんだこうた》郎《ろう》、トヨタ自動車の前身である豊田自動織《とよたじどうしょっ》機製作所《きせいさくじょ》を設立した豊田佐吉《とよださきち》。いずれも発明を通して、新しい産業を生み出した人物だ。

「物づくり、産業を通して社会に貢献《こうけん》する仕事がしたいと、漠然《ばくぜん》と思っていました」

東大大学院で合成化学専攻博士《せんこうはくし》課程を修《しゅう》了《りょう》した阿出川さんは富士写真《ふじしゃしん》フイルム（現・富士フイルム）株式会社に就職。同社の研究所で写真材料、有機ＥＬ材料などの研究に従事し、発明者として１４７件（筆頭発明者として86件）の特許を出願した。弁理士という職業を知ったのは、その出願を通じてのことだった。最初のころは明細書案を書いたが、それを外部の特許事務所の弁理士が整えて出願していた。阿出川さんの書いた書類は、原形をとどめていないと感じるほど手直しされていたそうだ。

研究所の知財専任になる

２００６年ごろ、研究所内で知財活動を強

化する見直しがあり、特許に関する業務の専任者となった。社内には知財を専門に扱《あつか》う知財部があり、出願も含《ふく》めた知財に関する業務を担っていた。阿出川さんの仕事は、研究所の開発者と知財部の橋渡《はしわた》し役《やく》といった位置づけだった。新たに子会社から出向してきた研究チームが参加した研究所で、主に特許に関して研究者を指導して、まとめていく役割を任せられたのだ。

この時に、出願検討や鑑定《かんてい》などを依頼《いらい》した特許法律事務所の担当弁理士が、阿出川さんを弁理士の道に向かわせることとなった。

「開発内容を説明すると、技術の本質を即座《そくざ》に理解して、特許の観点から見た問題点と、その解決策を的確に提示される方でした。その方に指摘《してき》される内容は、すべて納得のいくものでした。こういう抜《ぬ》きん出《で》たスキルを自分も身につけたい、このような能力のある人と同じ世界で仕事をしたいと思いました」

弁理士試験への挑戦《ちょうせん》

そんな弁理士への思いを知財部の人にそれとなく相談すると、難関ではあるが、弁理士試験に挑戦《ちょうせん》してはどうかと勧《すす》められた。阿出川さんが社内で尊敬していた優秀《ゆうしゅう》な人が、この資格の取得を断念したという話も聞いてたじろいだが、あの弁理士に一歩でも近づきたいという思いがあり、受験を決意した。

さっそく受験予備校に通い始め、通勤時間も含《ふく》めて、仕事以外の時間はすべて受験勉強にあてた。そしてほぼ半年後に弁理士試験を受けたが、第一関門である短答式筆記試験を通過できなかった。

「あれだけやったのに、こんな結果なのかと、がっくりきました」

その後半年間、阿出川さんは受験勉強を中断して、知的財産管理技能士検定（当時は知財検定）1級を取得した。これで「精神的に立ち直れた」そうだが、知財検定は知財マネジメントの能力を認定する、実務経験のある人を対象としたもので、弁理士試験に直接役立つものではないそうだ。

これによって気持ちを切《き》り替《か》えて、予備校通いも含《ふく》めて受験勉強を再開した。仕事との両立は大変だったが、家族にも支えられて、3度目の受験で最終合格、2010年に弁理士登録した。富士フイルムでは勤務地は変わったが、研究所の特許専任という仕事は変わらなかった。実は、弁理士資格を得たら特許事務所に入ることも考えていた。しかし、2008年のリーマンショックによる不況《ふきょう》で一部の特許事務所では大幅《おおはば》に人員を減らすなど、弁理士の業界も大きな影響《えいきょう》を受けており、方向転換《てんかん》したという。

弁理士をめざすのならば

学生時代には理系の勉強以外は意味がないと思っていたという阿出川さんは、社会人になってから「教養」はとても大事だと実感するようになったそうだ。

「コミュニケーションを図る上で、教養がなければ、相手の話を理解できません。弁理士という職業に限らず、どんな仕事をするにしても、幅広《はばひろ》い知識を身につけておくことは重要です」

弁理士業務でも、明細書作成や調査などでAIの活用が始まっている。これからの弁理士は、知財戦略を組み立てるような「総合的なスキルが求められる」と阿出川さんはいう。そのため必要になるのが高い洞察力《どうさつりょく》、交渉力《こうしょうりょく》、コミュニケーション力で、それを支えるのは幅広《はばひろ》い知識ということになる。

弁理士試験は簡単ではないので、受験に「覚悟《かくご》がいる」ともいう。受験でのアドバイスとして、法律の勉強で理系の人が注意すべき点があるそうだ。理系の勉強では一つずつ理解して積み上げていくことが大事だが、法律の勉強ではわからない点があっても次に進んでいくと、後からわかってくることが多い。

「法律の条文は順番には並《なら》んでいなくて、あっちこっちに飛んでいます。条文ごとに立ち止まらず、とにかく先に進めていくと、ばらばらだった条文が立体的に見えてきます」

資格を得てから

弁理士になりたてのころ、研究者と特許の出願内容について話す時に、つい法律用語や弁理士の業界用語を使って説明していたそうだ。懸命《けんめい》に勉強してきたからでもあるのだろうが、研究者からすれば「わけのわからない」法律用語などを並《なら》べ立《た》てられるのはおもしろくない。知財の観点から説明しているつもりが、研究者の反発を招くことになった。

この経験で、研究者にわかる言葉に置きかえて説明しなければならないことに気がついた。

研究者は開発中の技術について、他社権利に抵触《ていしょく》する可能性がないかどうかを検討するさいに、どうしても判断が甘《あま》くなりがちだ。他社がすでに特許をもつ技術と、自分が開発した技術は違《ちが》う、新しいものだと信じている。

開発者として特許を出願した経験をもつ阿出川さんは、その気持ちもよくわかる。しかし、弁理士としては、一歩引いたところから冷静に他社の技術と対比して判断しなければならない。他社権利に抵触《ていしょく》する可能性を、研究者が納得できるように説明することが大事になる。

そうした経験を経て２０１６年に現在の会社に転職したのは、弁理士の資格をより活かせる仕事をしたいと考えたからだ。前職では、資格を取ったことで専門家とみなされ、知財部トップに開発側の意見を直接話せるようになったが、あくまでも研究所の一員で、権利行使などに直接かかわることはなかった。また、遠距離《えんきょり》通勤をしていたので、知財人材を募集《ぼしゅう》していた現在の職場が自宅に近かったのも魅力《みりょく》だったようだ。

技術提携しているグローバル化学メーカー BASF のアメリカ生産拠点にて意見交換

弁理士として新しい世界へ

エヌ・イー ケムキャットは世界最大手の化学メーカーBASFと資本関係があり、さらに技術提携《ていけい》している。「半分、外資系企業《きぎょう》みたいなもの」だそうで、主にアメリカのBASFとの関係が深い。アメリカで特許をとった技術を日本でも特許取得し、この技術を土台に日本で応用して選択的《せんたくてき》技術として特許を取るケースもあれば、その逆もある。2010年ころからアメリカと技術者の交流はあったが、阿出川さんが入社した前後から知財担当者の交流も始まった。阿出川さんもアメリカに出張することがあり、海外とのやりとりは仕事の重要な部分になっている。

「弁理士資格に挑戦《ちょうせん》したころから、外国出願や海外の代理人などにも対応できる英語力が必要だと思って、こつこつ独学で勉強していました。それが今になって役に立っています。アメリカ人は知財についてもふつうの言葉でわかりやすい表現を使うので、こういう言い方をするのかとか、ちょっと楽しい発見もありました」

また、アメリカでは博士号《はくしごう》（Ph.D.）をもっていることで、一目置かれることも意外だった。国内企業《きぎょう》では特に評価されなかったそうだ。

「前の会社では海外提携《ていけい》企業といっしょに仕事をする機会はありませんでした。今の職場は、グローバルに仕事ができることで発見も多いし、新鮮《しんせん》でおもしろいと感じています」

企業内《きぎょうない》弁理士の仕事

知的財産を通じて、事業リスクを排除《はいじょ》する

のが企業内《きぎょうない》弁理士の重要な役割だと阿出川さんはいう。万が一、特許などの侵害《しんがい》があり、製品販売《はんばい》が差し止めになったら事業に大きなマイナスとなる。また、訴訟《そしょう》になれば企業《きぎょう》名《めい》が公になり、対外的にも信用を落とすことになり得る。特にグローバル展開している企業《きぎょう》にとっては、そのような事態は避《さ》けたいところだ。

　また、企業《きぎょう》における知財管理の難しさに、秘密保持契約《けいやく》がある。共同研究やライセンス契約《けいやく》にさいして技術情報を契約《けいやく》相手に開示するような場合、開示された秘密情報を第三者に漏《も》らさないことを決めるのが秘密保持契約《けいやく》だ。秘密保持の範囲《はんい》・内容をよく検討しておかないと、たとえば新製品のプレスリリースや学会発表などで、うっかり契約範囲内《けいやくはんいない》の秘密情報を公開してしまう事態を招きかねない。

そうしたことで違約金《いやくきん》が発生したり、企業《きぎょう》の信用に大きなダメージを与《あた》えることがないように、細心の注意を必要とする。

　もちろん、自社技術を特許などの知財で守ることは、もっとも重要な仕事だ。そのための出願方針を決めたり、海外提携先《ていけいさき》と特許戦略を立てるといった連携《れんけい》もある。さまざまな側面から知財の責任を負う立場にある阿出川さんにとって、その責任の重さがやりがいでもある。

弁理士の生活と収入

仕事をした分だけ収入に反映される自分で仕事時間を調整できる自由も

期日を守る

出願をはじめとする弁理士の業務は、決められた期日までに提出しなければならない書類、あるいは手続きが多い。仕事をする場所がどこであろうと、書類提出などの期日に向けて仕事の流れを確認し、スケジュールを立てて進めていくのは同じだ。期日を守るためには、所定の勤務時間を超《こ》えて仕事をしなければならないこともしばしばある。仕事をスケジュールに従って実行していく上で大事なのは自己管理できる能力だ。一方で、手がけている案件のスケジュールを調整して休みを取ることもでき、仕事時間を自分で決められる自由もある。

現在は既存《きぞん》の知的財産権の調査や顧客《こきゃく》とのやりとりもオンラインででき、出願もオンラ

インが主流になっているので、弁理士の仕事はインターネットにつないだパソコンさえあれば、どこでもできる。弁理士の日常では、パソコンに向かって調査をしたり、出願書類などを書く時間が圧倒的《あっとうてき》に長い。

このほか、顧客《こきゃく》と出願内容などについての協議が随時《ずいじ》ある。

資格の重み

弁理士は扱《あつか》う案件に関する守秘義務を守るのはもちろんのこと、「常に品位を保持し、業務に関する法令及《およ》び実務に精通して、公正かつ誠実にその業務を行わなければならない」などの弁理士法の規定に従わなければならない。顧客《こきゃく》の不利益につながるような業務怠慢《たいまん》が明らかになれば、弁理士法に基づく懲《ちょう》戒《かい》処分を受け、登録を抹消《まっしょう》される場合もある。

高度な専門職であることを認められる国家資格だということは、それだけ責任も重い。この資格の重みを仕事の誇《ほこ》りとして、一つひとつの業務に当たるのが、弁理士の日常だ。

弁理士の収入

弁理士業務に対する報酬《ほうしゅう》は、出願に関する手数料、謝金（登録による成功報酬《ほうしゅう》）をはじめ、中間処理などそれぞれの手続きについての報酬《ほうしゅう》で成り立っている。

独立開業している場合は、手がけた件数の分だけ売上になり、さらに顧客《こきゃく》企業《きぎょう》と顧問《こもん》契約《けいやく》をすれば別途《べっと》に顧問料《こもんりょう》も入る。もちろん、事務所家賃やスタッフの給与《きゅうよ》などさまざまな経費もかかるので、売上がそのまま収入になるわけではない。信用を築き、出願件数の多い企業《きぎょう》を顧客《こきゃく》にもつ事務所に成長すれば、その経営者の収入は１０００万円を超《こ》すとされる。

特許事務所勤務の場合は規模などによって異なるが、一般的《いっぱんてき》には大企業《だいきぎょう》と同等もしくは少しよい収入が得られる。事務所によるが、資格を取得したばかりで実務経験の少ないあいだは固定給で、一定の経験を積んだところから実績給になる例もある。基本的には仕事をした分だけ収入が得られる仕事だ。

企業《きぎょう》の場合は、それぞれの給与《きゅうよ》体系に従っているケースが多いようだ。知財部をもち、かつ資格者をかかえる企業《きぎょう》の給与《きゅうよ》レベルは平均より高いといえよう。

特許事務所でも企業《きぎょう》でも、資格を得ることで、より責任のある仕事を任されるようになり、結果的には昇進《しょうしん》・昇給《しょうきゅう》につながる。どのような職業でも同じだが、仕事の質を高めていくことが収入アップの条件だ。弁理士も向上心を失ったら高収入は望めない。

弁理士の将来性

重要度を増す知的財産権 語学や知識をみがくことが重要

知的財産権の重要度

２００２年に「知的財産立国」政策によって弁理士の増員が図られたことから、弁理士登録者数は１９９５年の３７９５人から10年後には１・７８倍の６７５９人になった。２０２０年９月末には１万１６２４人と、さらに増えている。政府が人材育成を掲げ《かか》た主眼は知的財産による国際競争力を高めることにあった。

さまざまな観点から、今後も知財の重要度は増すことはあっても、低下することはないだろう。そのぶん、知財の専門家である弁理士も重要な存在であり続ける。

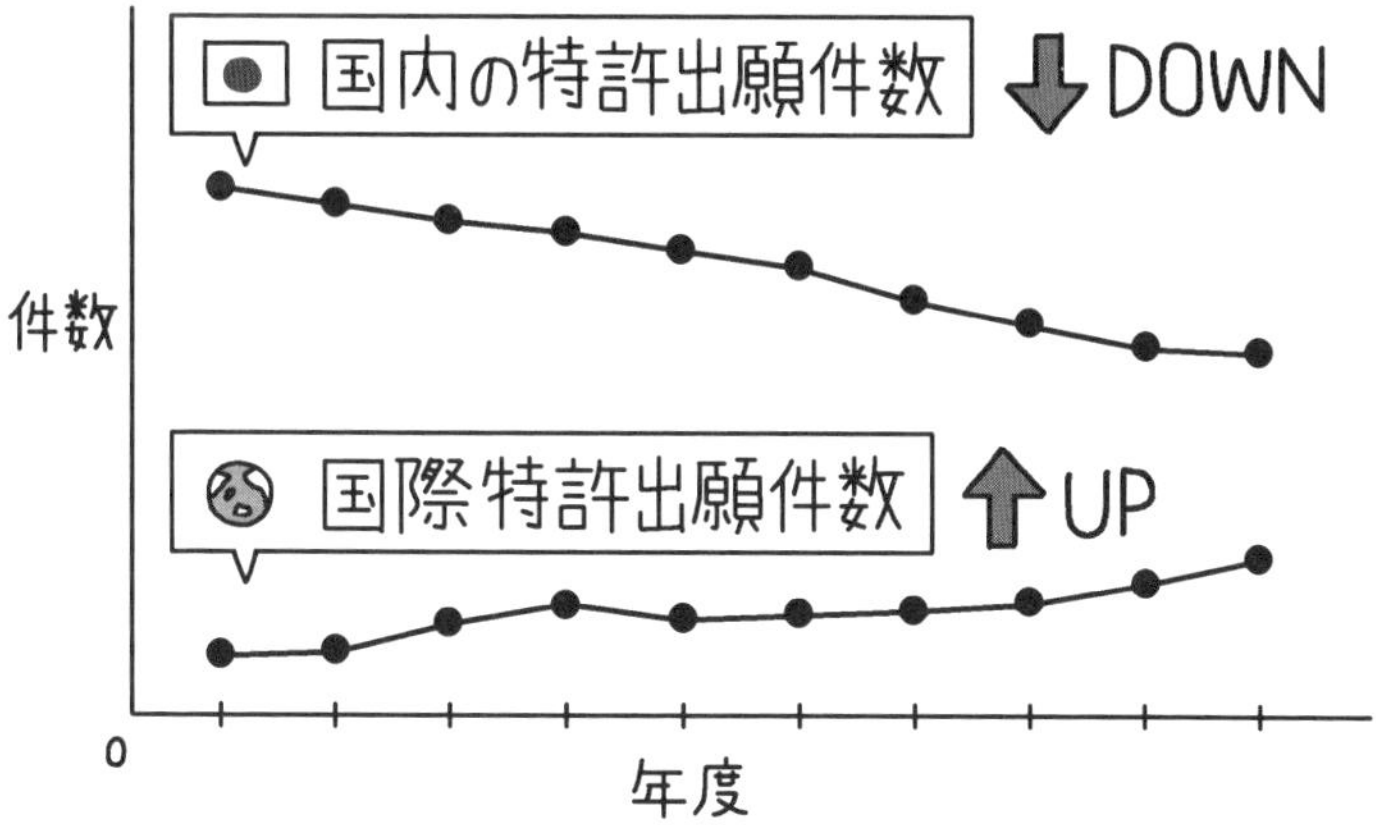

増える国際出願

弁理士の専任業務である産業財産権に関する業務は、産業と企業《きぎょう》活動がある限りなくなることはない。しかし、それは景気の動向などの影響を受けて増減することも事実だ。国内の特許出願件数は２００８年のリーマンショック以降、少しずつ減っており、実用新案はさらに減少傾向《けいこう》で、意匠《いしょう》は横ばい、増加がみられていた商標も近年はやや停滞《ていたい》している。

これに対して特許の国際出願件数は１９９８年の６０２２件に対し、２０１９年は５万１６５２件と、大幅《おおはば》に伸《の》びている。また国際出願では約96パーセントが、弁理士を代理人としている。国際出願で弁理士の仕事が増えているということだ。

従って、海外での権利取得の業務に強い英語などの語学力が、これまで以上に求められるだろう。国際出願のできる英語のほか、日本で扱《あつか》う海外の知財が多い中国、ドイツなどの語学力も弁理士として強みになる。

より高い能力が求められる

リーマンショック、新型コロナウィルス感染症拡大による経済活動への打撃《だげき》により、企《き》業《ぎょう》の開発や知財活動は停滞《ていたい》し、弁理士の仕事にも影響《えいきょう》を及《およ》ぼした。そうしたなか、弁理士に求められる仕事の質はより高いものになっている。価値の高い知的財産権を取得するために、出願代理だけでなく、知財コンサルティングといった知財の専門家としての活躍《かつやく》が期待されている。

技術開発のスピードが速くなっていることにともない、さまざまな技術の仕組みも変わっている。新しい技術や法律の動向に敏感《びんかん》であるだけでなく、自分の得意分野に限らずに最新の技術について学ぶ、語学力をみがくなど、常に仕事の質を高める努力が求められる。

3章

なるにはコース

向学心と向上心をもち続け顧客と誠実に向き合う姿勢

弁理士として求められる資質

弁理士にとってもっとも大事な資質は何かという問いに対して、10人中10人が向学心、向上心をあげる。弁理士として仕事をするためには、常に新しい技術や法改正に関心をはらい、知識を深めていくことが求められる。そのため、日常的に学ぶことに苦痛を感じない、好奇心《こうきしん》や知識欲が旺盛《おうせい》な人に向いている。

弁理士をめざそうとするならば、今から日々、新聞を読み、あるいはインターネット上の信頼《しんらい》できるサイトの情報にアクセスし、技術開発や知的財産に関連する動向に目を向けておきたい。

また、弁理士の業務は文章を書くことが仕事に占《し》める割合が大きい。新聞や本を読むこ

とは、語彙《ごい》を増やし、的確な表現をする能力を養うことにもつながる。

弁理士に求められる能力

弁理士に求められる能力として欠かせないのは、法律の知識、技術に関する知識、英語力の三つだ。これらは学ぶ姿勢さえあれば身につく。

知的財産を権利化するにあたっては、関連法規に基づいた手続きが必要で、そうした法律上のルールをよく理解したうえで、適正な対処をしなければならない。また、国際条約や国内制度の改変にともなう法改正は毎年のように行われ、それぞれに関連する弁理士会の研修を受けるなど、対応していくことが求められる。

技術変革のスピードはさらに速い。ＩＴ技術の飛躍的《ひやくてき》な進歩は、情報通信にとどまらず、ＡＩやＩｏＴといった新たな技術分野をつぎつぎに生み出している。これにより、あらゆるジャンルで、これまでにない製品、サービスの開発をうながすことにもなった。特許を手がけるためには、刻々と生み出される新しい発見や技術情報に関心をもって知見を広めることも必要だ。

経済活動があらゆる領域でグローバル化している現在、国際出願を手がける、あるいは海外の顧客《こきゃく》に対応することはあたりまえで、英語力も不可欠だ。読み書きのほかにも、海外の代理人などと交渉《こうしょう》する会話力も養いたい。

また、弁理士の仕事では顧客《こきゃく》と知財戦略を協議するだけでなく、中間処理などに関する特許庁とのやりとりなども重要だ。相手の要望や見解をきちんと聞いて理解し、その内容に応じた解決法を考え、的確に伝えるコミュニケーション能力も大きなポイントとなる。

信頼《しんらい》に足る人間性

知識や能力も大事だが、忘れてならないのは誠実さだ。弁理士が扱《あつか》うのは、依頼者《いらいしゃ》が時間と費用をかけて開発した貴重な発明やデザイン、商標、サービスなどだ。弁理士法には、業務のなかで知り得た顧客《こきゃく》に関する情報を第三者に漏《も》らしてはならないという守秘義務が

明記されている。顧客《こきゃく》の秘密を守るためには、裁判で証言を拒《こば》む権利も認められている。そうした重要事項《じこう》を扱《あつか》うからこそ、弁理士という国家資格が設けられている。手がけている案件については、相手が家族であろうと恋人であろうと友人であろうと、決して漏《も》らしてはならない。いくら技術や法律の知識、語学に秀《ひい》でていても、守秘義務を厳守できないような人は弁理士にはなれない。

弁理士法では守秘義務違反《いはん》があった場合、業務停止処分のほか、6月以下の懲役《ちょうえき》または50万円以下の罰金《ばっきん》も規定されている。

誠実さは仕事の質にも反映する。効率よく仕事をするだけでなく、依頼人《いらいにん》が何を望んでいるのか、何が課題なのかをしっかりヒアリングして、よりよい解決法、知財戦略を提案する視点をもつことも、信頼《しんらい》されるための要件となる。

弁理士の仕事は、いかに依頼者《いらいしゃ》の事業に貢献《こうけん》するかという視点で、出願手続きなどによって知的財産にかかわる高度なサービスを提供するものでもあることを理解しておきたい。

男女による適性の差はない

弁理士の仕事は性別による適性の差はない。まだ女性弁理士の割合は全体の2割に満たないが、合格者に占《し》める女性の割合は年々高くなる傾向《けいこう》にあり、2019年度の試験では26・4パーセントだった（志願者のうち女性は20・6パーセント）。ほかの国家資格と同様に、出産などで仕事を離《はな》れても復職できることを含《ふく》めて、女性が活躍《かつやく》できる魅力《みりょく》ある専門職のひとつだ。

弁理士試験の合格者のうち8割程度が理系出身者だが、法学系をはじめとする文系の出身者の場合、商標に特化した業務でスキルをみがいてスペシャリストとして活躍《かつやく》するケースもある。あるいは、技術について学んで、法律に強い弁理士として特色を出すこともある。技術に関心が高い文系の人にとっても、おもしろい仕事だろう。

弁理士試験を受けるまで

受験者の多くは社会人 どんな仕事をしていても受験できる

大学では何を学ぶか

弁理士資格をもつ人のほとんどは、大学を卒業、あるいは大学院を修了《しゅうりょう》しており、なかには博士号《はくしごう》をもつ人もいる。特に受験資格のない弁理士試験の受験者のうち、学生の占《し》める割合は約３パーセント（２０１９年度）で、社会人として経験を積んだ合格者が圧倒的《あっとうてき》に多い。弁理士試験のための勉強は大学とは別にすることになるので、学部にこだわる必要はないかもしれない。

特許事務所が新卒で採用するのは理系か法学部出身者、あるいは語学に秀《ひい》でた人である場合が多い。卒業後に特許事務所に勤務しながら資格取得をめざすのならば、これらの学部が有利だろう。

理系の場合、どのような分野でも技術開発はあるので、弁理士をめざすとしても、まず自分が関心のある分野に進んで楽しく勉強するのがよいだろう。仕事の経験を積みながら専門領域を広げたり、別の分野の知識を得ていけばよい。

文系の場合、資格を得たあとに技術を学ぶ、あるいは商標・意匠《いしょう》、契約《けいやく》や紛争《ふんそう》処理などに特化して仕事をすることもできる。理系出身者が技術分野で有利であるのに対して、文系出身者は法律の知識と語学力が強みになるだろう。

また知財立国政策で知的財産の専門家育成も課題としてあげられ、大学の法学部や、工学部などものづくりにかかわる学部で知財関連の授業がカリキュラムに組み込《こ》まれるようになった。こうした授業を受講して、知財についての知識を得ておくのもよい。

大阪工業大学には国内唯一《ゆいいつ》の知的財産学部があり、知財の研究コースを設けている大学もいくつかある。ただし、そうした学部やコースは弁理士養成を目的としてはいない。どの学部を卒業しても、弁理士試験に合格しなければ弁理士の資格は得られない。

どんな仕事をしながらでも受験は可能

大学を卒業後、特許事務所に就職して試験に挑戦《ちょうせん》する人も多い。弁理士の仕事を知ることができ、勉強する内容について実務を通して理解できるというメリットがある。ただし、特許事務所で日々行う仕事は、そのまま受験勉強になるわけではないので、勤務時間以外の時間に受験勉強をするという点では、一般《いっぱん》企業《きぎょう》に勤務する場合と同じだ。

一般《いっぱん》企業《きぎょう》で弁理士の資格を取得する人の場合、技術者としての経験を積むなかで知財に関心をもち、あるいは知財部に配属になったことで試験に挑戦《ちょうせん》するケースが多いようだ。また文系の人の場合は、企業《きぎょう》の総務や法務の部署で知財にかかわる仕事があるので、そうした経験から弁理士に魅力《みりょく》を感じることもあるだろう。

どんな仕事をしながらでも、弁理士試験に挑戦《ちょうせん》できる。経済面での条件が許せば、あえて仕事につかず受験勉強に専念するという選択肢《せんたくし》もあり得るが、受験予備校などで勉強するのならば、当然ながら費用がかかることも考えておかなければならない。

合格までに3000時間の勉強

よく弁理士試験に合格するためには3000時間、受験勉強をすることが必要だといわれる。弁理士志願者のほとんどは、受験予備校に通う、あるいは通信講座を利用して、知的財産関連法規をはじめとする受験科目について学び、試験のためのトレーニングを積んでいる。予備校で学ぶだけでなく、自由に使える時間の多くを勉強にあて、ひたすら勉強している。それでも、一度の受験で合格する人は少ない。2019年度の場合、はじめて受験した人のうち最終（口述試験まで）合格した人は６・７パーセントだった。もちろん、この数字は毎年変わり、10パーセント前後の年もあるが、１回で合格できるとは考えないほうがよい。

高校や大学ならば複数の学校を受験することが可能だが、弁理士になるためには年に１度きりの試験しかチャンスはない。特許事務所や企業《きぎょう》で仕事をしながら、数年かけて合格にこぎつける例が多い。受験する人たちは仕事をきちんとしながら、通勤の電車のなかや昼食の時でも法律の条文や過去の問題などに目を通し、退社後あるいは週末には予備校へ通い、勉強している。挑戦《ちょうせん》するからには、趣味《しゅみ》などの楽しみをある程度犠牲《ぎせい》にする覚悟《かくご》が必要だ。

弁理士になるまでの道のり

難関の弁理士試験に挑戦する試験には三つの関門がある

弁理士になるための三つのルート

弁理士資格を得るためには、弁理士試験を含む三つの道がある。

・弁理士試験に合格する

弁理士の9割程度が弁理士試験によって資格を得ている。弁理士試験は年に1度行われ、受験資格は特になく、原則として誰《だれ》でも受験できる。2019年度は最終合格率8・1パーセントだった。知的財産立国政策により弁理士を増員するために、試験制度も合理化、簡素化されたことから、かつては3パーセント台だった合格率が高くなったとはいえ、難関であることに変わりない。

・司法試験に合格して弁護士登録したうえで、弁理士として登録する

弁護士資格があれば、弁理士登録することでその業務を行うことができるが、弁理士のなかでは4パーセント弱にすぎない。弁護士資格を得るためには、やはり難関である司法試験にパスしなければならない。

・特許庁の審査官《しんさかん》または審判官《しんぱんかん》として通算7年以上の経験を積む

弁理士のうち特許庁出身者は数パーセントと少ない。国家公務員採用総合試験に合格して特許庁に採用され、入庁後に審査官補《しんさかんほ》コース研修を2カ月間受け、さらに2～4年の審査官《しんさかん》コース研修を受けなければ審査官《しんさかん》にはなれない。弁理士資格を得るには、特許庁の入庁から10年ほどかかることになる。

弁理士試験の仕組み

●3段階の関門をひとつずつ

弁理士試験は、短答式筆記試験、論文式筆記試験、そして口述試験と3段階に分けられ、一つひとつの関門をクリアしないとつぎに進めない。

短答式筆記試験は弁理士に必要な法律の基礎《きそ》知識、論文式筆記試験は記述能力と専門分野に関する理解、口述試験では口頭で説明する能力が問われる。

短答式筆記試験の実施《じっし》は例年5月、マークシート方式により特許法、実用新案法、意《い》

図表5　例年の弁理士試験の概要

受験資格	特になし（学歴、年齢、国籍などによる制限は一切なし）	
受験料	12,000円（特許印紙にて納付）※2020年度	
試験の時期	願書配布	3月上旬～4月上旬（インターネット願書請求は2月上旬～3月上旬）
	願書受付	3月下旬～4月上旬
	短答式筆記試験	5月中旬～下旬（土・日いずれかの日）
	論文式筆記試験	必須科目　6月下旬～7月上旬
		選択科目　7月下旬～8月上旬
	口述試験	10月中旬～下旬
試験会場	短答式筆記試験	東京、大阪、仙台、名古屋、福岡
	論文式筆記試験	東京、大阪
	口述試験	東京
試験公告	例年1月中旬から下旬頃	

匠《しょう》法《ほう》、商標法、工業所有権に関する条約、著作権法、不正競争防止法から出題される60問に、3時間半で答えなければならない。正解率がおおよそ65パーセント以上であることが、合格の最低ラインとされている。2019年度の短答式筆記試験の合格率は18・3パーセントだった。

短答式筆記試験の合格者は、合格の日から2年間はこの試験が免除《めんじょ》となる。

このほか、大学院で工業所有権に関する科目の単位を修得した人は大学院修了《しゅうりょう》日《び》から2年間、特許庁で審判《しんぱん》または審査《しんさ》に5年以上従事した人は、著作権および不正競争防止法以外の短答式筆記試験が免除《めんじょ》になる。

図表6 論文式筆記試験の選択科目

	科目	選択問題
1	理工Ⅰ（機械・応用力学）	材料力学、流体力学、熱力学、土質工学
2	理工Ⅱ（数学・物理）	基礎物理学、電磁気学、回路理論
3	理工Ⅲ（化学）	物理化学、有機化学、無機化学
4	理工Ⅳ（生物）	生物学一般、生物化学
5	理工Ⅴ（情報）	情報理論、計算機工学
6	法律（弁理士の業務に関する法律）	民法（総則、物権、債権から出題）

●論文式筆記試験

論文式筆記試験では、産業財産権に関する法律についての必須《ひっす》科目のほかに、選択《せんたく》科目がある。選択《せんたく》科目は理系5科目と法律、計6科目からひとつを選ぶ。

修士、博士《はくし》または専門職の学位をもつ人は、学位論文の内容によって選択《せんたく》科目の免除《めんじょ》が受けられる。

また以下の公的資格をもつ人は、該当《がいとう》する専門分野について免除《めんじょ》になる。その分野について、すでに十分な知識を有しているとみなされるためだ。

・選択《せんたく》科目に関する分野の研究により修士または博士《はくし》の学位を有する者（事前に申請《しんせい》する必要がある）
・技術士（選択《せんたく》科目に対応する部門）
・一級建築士
・第一種または第二種電気主任技術者
・情報処理技術者試験合格者（選択《せんたく》科目に対応する区分）

図表7 論文式筆記試験選択科目の免除を受けられる資格

公的資格者	願書に記載する選択科目
技術士であって、規定の技術士試験の選択科目に合格した者	〔規定の選択科目〕
一級建築士	理工Ⅰ（機械・応用力学）
第一種電気主任技術者免状又は第二種電気主任技術者免状の交付を受けている者	理工Ⅱ（数学・物理）
薬剤師	理工Ⅲ（化学）
電気通信主任技術者資格者証の交付を受けている者	理工Ⅴ（情報）
情報処理安全確保支援士試験の合格証書の交付を受けている者	理工Ⅴ（情報）
情報処理技術者試験合格証書の交付を受けている者で、別表2に記載する試験区分に合格した者	〔規定の選択科目〕
司法試験に合格した者 司法試験法及び裁判所法の一部を改正する法律第2条の規定による改正前の司法試験法（昭和24年法律第140号）の規定による司法試験の第2次試験又は司法試験法及び裁判所法の一部を改正する法律附則第7条第1項の規定により行なわれる司法試験の第2次試験を受け当該試験に合格した者	法律（弁理士の業務に関する法律）
司法書士	法律（弁理士の業務に関する法律）
行政書士	法律（弁理士の業務に関する法律）

・情報処理安全確保支《し》援《えん》士《し》
・電気通信主任技術者
・薬《やく》剤《ざい》師《し》
・司法試験第二次試験合格者（「弁理士の業務に関する法律」に対応する科目を選択《せんたく》した者）
・司法書士
・行政書士

2019年度の場合、論文式筆記試験の合格率は25・5パーセントだった。この関門をクリアできれば、資格取得がみえたといってもよい。

論文式筆記試験では必須《ひっす》

科目と選択《せんたく》科目、それぞれに合格が判定される。必須《ひっす》科目の合格者は、その後2年間は必須《ひっす》科目の試験が免除となる。選択《せんたく》科目の合格者は、以降の選択《せんたく》科目試験が免除《めんじょ》される。

●最後の関門・口述試験

最終試験となる口述試験は、産業財産権に関する法律についての出題に口頭で答える。2019年度の合格率は99パーセントだった。

2019年度の合格者では、平均の受験回数は4・07回だった。年齢別《ねんれいべつ》では30代がほぼ半分でもっとも多く、ついで40代、20代となっている。また職業別では特許事務所勤務者が34・5パーセント、会社員が46・1パーセントを占《し》めている。

合格したら

実務修習を受けて弁理士登録する 実績を積めば独立の道もある

実務修習を経て登録する

弁理士試験の最終（口述試験）合格発表は例年10月末ないし11月上旬《じょうじゅん》にある。合格したら、まず弁理士法に定められた日本弁理士会の実務修習を受講することが義務づけられている。弁護士資格者、特許庁の審査官《しんさかん》経験から資格を得た場合も、この実務修習を受けることが弁理士として登録する条件だ。

実務修習はオンラインで配信されるe-ラーニングと、対面で行う集合研修がある。e-ラーニングでは弁理士法や弁理士倫理《りんり》、産業財産権の出願などに関する課目の単位を取得しなければならない。例年は12月から2月末までに配信されるコンテンツとテキストで学習する。コンテンツのなかにある効果確認問題に解答して、8割以上正解しないとつぎに進めない。各課目のコンテンツを最後まで視聴《しちょう》することで単位が認められる。また講義形式の集合研修は東京《とうきょう》、名古屋《なごや》、大阪《おおさか》で行われ、時間帯などの異なる複数のコースから選ぶ。例年1月から2月にかけて数日にわたり実施《じっし》される。

特許事務所で一定期間以上、願書作成の事務にたずさわった経験がある、あるいは弁護士資格者、特許庁勤務経験者の場合は、それぞれに一部の修習課程が免除《めんじょ》になる。

実務修習を修了《しゅうりょう》し、日本弁理士会に登録することで、弁理士としての業務ができるようになる。なお合格後、ただちに実務修習を受けて日本弁理士会に登録しなくても、弁理士資格を剝奪《はくだつ》されることはない。

弁理士試験に合格すると、日本弁理士会や出身大学によって合格を祝福される機会が設けられる。こうした機会に同期合格者や先輩《せんぱい》と出会えると同時に、いろいろな特許事務所についても知ることができる。多様な弁理士の人脈をもつことは、実務を経験するなかで情報交換《こうかん》をしたり、難しい案件について助言を得られるなど、仕事の質を高めていくためにも大事だ。

同様の意味で、日本弁理士会の活動や研究会への参加も、視野を広げ、さまざまな刺激《しげき》を受ける、自身をみがく機会になるだろう。

合格後は自己の能力を高める努力を

弁理士の世界だけではないが、資格試験の合格はゴールではなくスタートとよくいわれる。弁理士としての本当の能力は、合格してから培《つちか》っていくものだ。

弁理士法では業務の資質などを高める継続《けいぞく》研修が義務づけられている。ほとんど毎年ある知財関連法の改正についての研修をはじめ、日本弁理士会のさまざまな研修もサポートしてくれる。

実務については仕事を通して学ぶことも多いが、一定期間の勤務経験を経てから、あらためて大学や大学院で勉強する人も少なくない。文系出身者が理系の学部で学ぶ、あるいは独立に向けて経営を学ぶ人もいる。

弁理士業務が知的財産にかかわる訴訟《そしょう》や契約《けいやく》にも広がったことから、今後は民法をはじめとするより広範《こうはん》な法的知識も必要となるだろう。

ＡＩの導入が進めば、登録されている権利の調査、侵害《しんがい》の鑑定《かんてい》などはＡＩでできるようになるといわれる。さらに明細書の作成までＡＩにできるとする見方もある。こうしたなかで弁理士に求められるのは、個別の案件についてそれぞれの課題を的確に見いだし、顧《こ》客《きゃく》の要望に沿ったよりよい解決策を提案する力だ。また、複合的に知財戦略を構築するコンサルティングも重要になるだろう。出願手続きから一歩踏《ふ》み込《こ》んだ、知財専門家としての能力をみがく必要がある。

自分にあった職場を選ぶ

弁理士試験の合格者のほぼ8割が特許事務所勤務か会社員で、すでに職場を得ている場合が多い。そうした勤務先では、資格を得たことで、弁理士の本領である出願代理や知財戦略の提案などができるようになる。

そのほか、弁理士の資格を活かして自分に合った職場に転職することもできる。弁理士は一般《いっぱん》の会社員に比べて転職するケースが多い。特許事務所を移籍《いせき》する、特許事務所から企業《きぎょう》の弁理士になる、あるいはその逆の場合もある。キャリアを積みながら、その時々に自分がめざす仕事ができる職場を選ぶ、あるいは独立することが可能だ。

安定した収入を得られる企業《きぎょう》や大手特許事務所に入る、得意分野を活かせる職場を求めるなど選択肢《せんたくし》はいろいろある。独立心や事業意欲の旺盛《おうせい》な人には、独立開業の道もある。

そのほか技術移転機関（ＴＬＯ）や、弁護士事務所で知財の専門家として知財コーディネーター、知財の運用に関するコンサルティングや仲介《ちゅうかい》、契約《けいやく》を手がける道もある。コンサルティングも含《ふく》めた幅広《はばひろ》い知財の専門家として、中小企業《きぎょう》の事業に貢献《こうけん》するのも、やりがいのある仕事だ。

独立への道

弁理士資格の魅力《みりょく》のひとつは、独立開業できることだ。自分の手がけたい仕事を自分の意志で、自分の方法論で展開できるのが独立開業だ。しかし、資格を取得して開業して仕事がくるかといえば、そんなに簡単ではない。将来は独立するにしても、最初は特許事務所や企業《きぎょう》などで経験を積んで弁理士としての実績を築くことが前提だ。同時に、同業者である弁理士だけでなく、訴訟《そしょう》などにかかわる弁護士、海外の事務所などと広範《こうはん》なネットワークをつくっておくことが、独立にさいして無形の財産になる。

タイプの異なる職場を経験することは仕事の幅《はば》を広げていくことにもなる。知的財産全《ぜん》般《ぱん》を扱《あつか》うのと、特定のジャンルでスペシャリストになるのとでは、求められる知識もスキルもまったく違《ちが》う。独立をめざすのであれば、どのようなジャンルで仕事をするのかを想定して、経験を積んでおきたい。

独立のためには開業資金も必要だ。特許事務所に勤務していた場合、自分が担当していた顧客《こきゃく》であっても、それは事務所の顧客《こきゃく》で自分の顧客《こきゃく》ではない。独立は顧客《こきゃく》ゼロからの出発になるので、当面の運転資金も用意しておかなければならない。

独立の形として、複数の弁理士が組んで共同事務所を開設するケースもある。また、知的財産を含《ふく》む経営コンサルタント事業という観点から、公認会計士や税理士など、分野の異なる専門家と協力して新しい事業形態をめざす事務所もみられる。

長く続けることができる

独立開業は定年がない職場ともいえる。仕事を長く続けることも可能だし、自分で決めた時点で仕事を辞めて、自由な時間を楽しむこともできる。

弁理士資格と仕事の実績があれば、どのような職場にいたとしても第一線を退いた後に、発明相談などを通じて社会に貢献《こうけん》することも可能だ。また、地方自治体の知財啓発《けいはつ》事業に協力して、地域の産業にアドバイスするなどの役割を果たすこともできる。そうした点でも魅力《みりょく》のある仕事といえるだろう。

フローチャート　弁理士

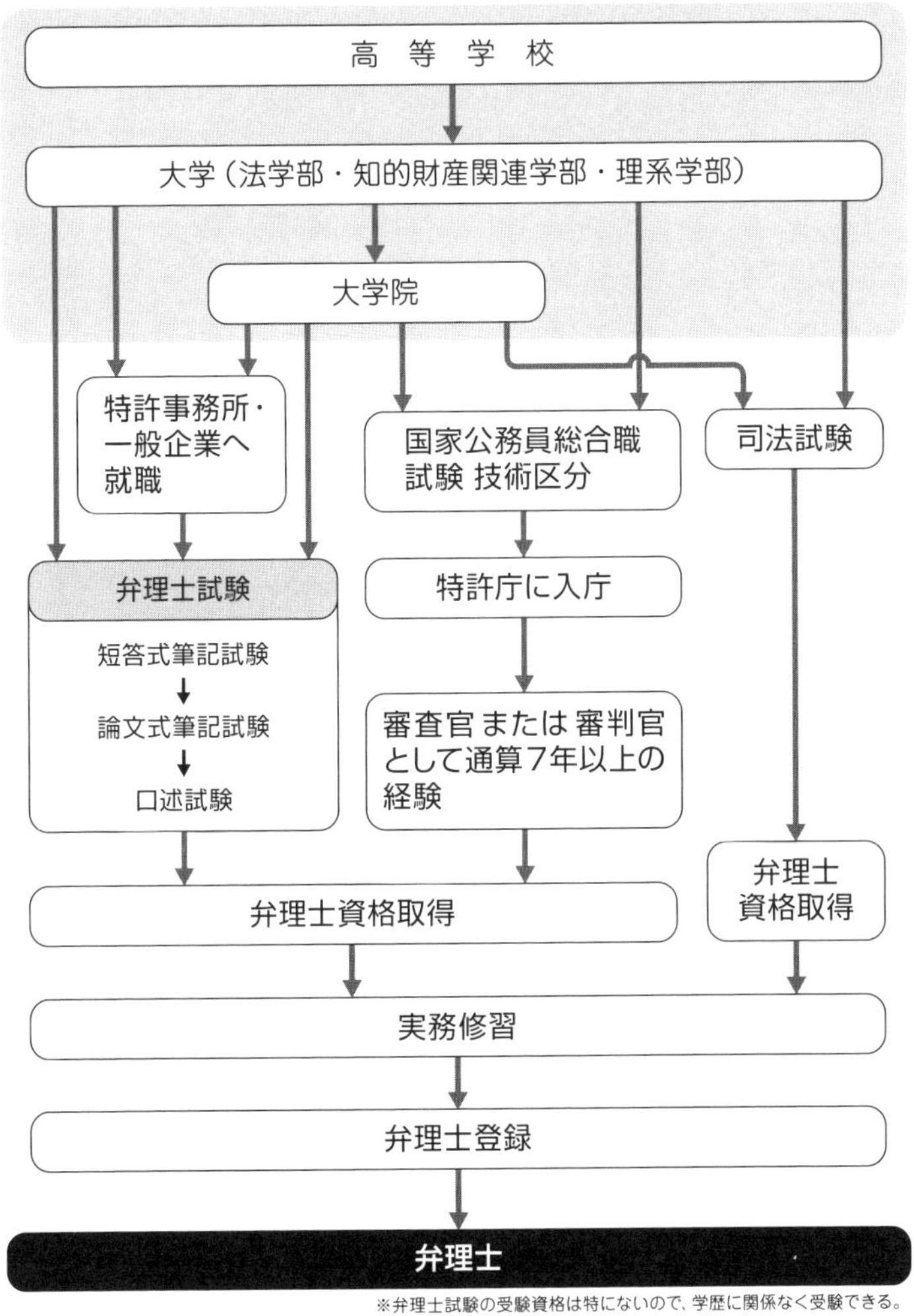

※弁理士試験の受験資格は特にないので、学歴に関係なく受験できる。

なるにはブックガイド

『世界を変えた発明と特許』
石井　正＝著
ちくま新書

産業革命に貢献したワットの蒸気機関、室内を明るくしたエジソンの白熱電灯など、世界の産業と人びとの暮らしを大きく変革した発明を取り上げ、特許制度がどのように機能したのかを解き明かす。また、新技術を巡る発明家たちのしのぎ合いのドラマも描かれている。

『楽しく学べる「知財」入門』
稲穂健市＝著
講談社現代新書

アニメのキャラクターの著作権、ブランドの商標権、スマートフォンの特許権など、身近な製品を通して、知的財産制度についてわかりやすく解説している。３Ｄプリンターの特許からアイドルの芸名まで多様な事例により、日常生活のさまざまなところに知財がかかわっていることがわかる。

『マンガでわかる　知的財産の新常識』
佐藤大和、松田有加、松井貴法＝共著
ナツメ社

SNSの普及で個人も著作権侵害を問われる場合がある。そうした事例をマンガで紹介しながら、産業財産権をはじめとする知財の法律、登録の流れなどを取り上げている。知財についての疑問をさまざまな角度から設定して、コンパクトに解説している。

『学校で知っておきたい知的財産権　①知的財産ってなんだろう？　基本編』
細野哲弘　監修、おおつかのりこ＝著、藤原ヒロコ＝絵
汐文社

部活でゲームを制作する生徒たちが、かかわってくる知的財産権について学び、考えるストーリーのなかで、知的財産の基本的な知識をわかりやすく解説する。このほかお菓子やノートなどの身近な製品を例に、知的財産権がどのように機能しているかを紹介している。

職業MAP! 興味があるのはどの仕事?

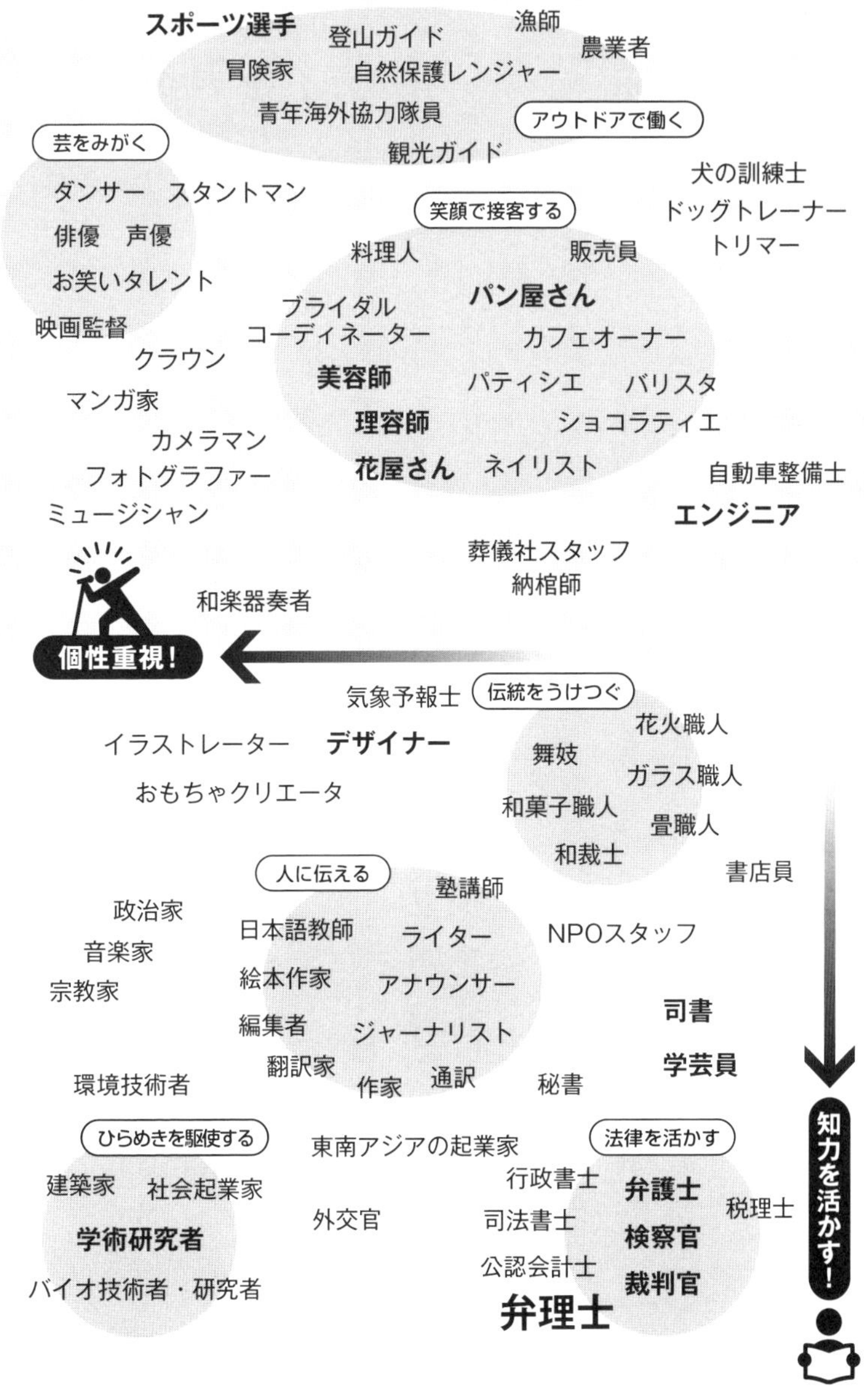
スポーツ選手
登山ガイド
漁師
農業者
冒険家
自然保護レンジャー
青年海外協力隊員
アウトドアで働く
観光ガイド
芸をみがく
ダンサー
スタントマン
俳優
声優
お笑いタレント
映画監督
クラウン
マンガ家
カメラマン
フォトグラファー
ミュージシャン
犬の訓練士
ドッグトレーナー
トリマー
笑顔で接客する
料理人
販売員
パン屋さん
ブライダル
コーディネーター
カフェオーナー
美容師
パティシエ
バリスタ
理容師
ショコラティエ
花屋さん
ネイリスト
自動車整備士
エンジニア
葬儀社スタッフ
納棺師
和楽器奏者
個性重視!
気象予報士
伝統をうけつぐ
花火職人
舞妓
ガラス職人
イラストレーター
デザイナー
おもちゃクリエータ
和菓子職人
畳職人
和裁士
書店員
人に伝える
塾講師
政治家
日本語教師
ライター
NPOスタッフ
音楽家
宗教家
絵本作家
アナウンサー
司書
編集者
ジャーナリスト
学芸員
翻訳家
環境技術者
作家
通訳
秘書
知力を活かす!
ひらめきを駆使する
東南アジアの起業家
法律を活かす
建築家
社会起業家
行政書士
弁護士
税理士
学術研究者
外交官
司法書士
検察官
公認会計士
裁判官
バイオ技術者・研究者
弁理士

おわりに

弁理士の仕事について、読者のみなさんはどのようなイメージをもたれたでしょうか。難しそう、大変そうと思われたかもしれません。でも、どんな資格を得るにもしっかり勉強しなければならないし、どんな仕事でも学び続け、自分をみがき続けることが大事だということは同じではないかと思います。

弁理士資格については、養成機関のようなものはありません。弁理士試験に挑戦《ちょうせん》する人の多くは社会人で、企業《きぎょう》や特許事務所での勤務を経験しています。養成機関や大学などで資格を得られるものもありますが、弁理士資格は、そうした点でほかの資格とは違《ちが》っています。

弁理士試験は難関ですが、それだけ挑戦《ちょうせん》しがいのあるものだともいえるでしょう。技術開発の最先端《さいせんたん》を知ることができ、だから厳しい守秘義務を守らなければならない、特別な資格者でもあります。弁理士はそうした資格の重さを誇《ほこ》りとして、日々、仕事の質を高め、依頼者《いらいしゃ》の役に立つように努めています。

弁理士の方々のお話をうかがい、弁理士になる道は多様だということをあらためて感じました。この本で弁理士を知った読者が、社会人としての経験を積んだうえで、弁理士資格を思い出して試験に挑戦《ちょうせん》することもあり得ると思います。社会に出ていろいろな仕事をしてみたものの、何か資格をもって自分の強みにしようと考えて、がんばって弁理士資格を得たという方の話を聞いたこともあります。

将来の選択肢《せんたくし》の一つとして、弁理士の存在を心にとめていただければうれしく思います。

この本を書き始めた途端《とたん》に、新型コロナウイルスの感染が拡大し、社会のあらゆる活動が停滞《ていたい》し、また仕組みを変えることを余儀《よぎ》なくされました。２０２０年度の弁理士試験も延期されるなど、当然ながら影響《えいきょう》を受けています。

コロナ後の世界で、弁理士の仕事に関して変わることもあるかもしれません。とはいえ、基本的な業務内容は知的財産権についての法律が変わらない限り、変わりません。依頼者《いらいしゃ》や特許庁審査官《しんさかん》との面談がオンラインになるにしても、そこで果たすべき役割は同じです。むしろ、世界中のどこにいても、弁理士の仕事ができるようになるかもしれません。

この本では、弁理士の方々へのインタビューもオンラインでお願いしました。このような状況《じょうきょう》で、多忙《たぼう》なお仕事のなかでインタビューに応じてくださった弁理士の方々、ならびにご協力いただきました日本弁理士会に、心よりのお礼を申し上げます。

藤井久子

弁理士・弁理士試験・知的財産権に関するサイト

弁理士について知る
日本弁理士会
https://www.jpaa.or.jp/

弁理士試験について知る
経済産業省特許庁
https://www.jpo.go.jp/news/benrishi/index.html

知的財産権について知る
経済産業省特許庁
https://www.jpo.go.jp/system/patent/gaiyo/seidogaiyo/chizai02.html
https://www.jpo.go.jp/system/basic/index.html

[著者紹介]

藤井久子（ふじい ひさこ）

フリーライター
埼玉大学教養学部卒業。多様なジャンルの取材・執筆をするなか、日本弁理士会広報誌「パテント・アトーニー」で知的財産権に関わる記事を長年、担当してきた。著書に『コンピュータソフト』（現代書館）、『環境技術で働く』（ぺりかん社）、共著に『よくわかる環境ビジネス』（産学社）などがある。

弁《べん》理《り》士《し》になるには　改訂版

2021年4月10日　　初版第1刷発行

著　者　　藤井久子
発行者　　廣嶋武人
発行所　　株式会社ぺりかん社
〒113-0033　東京都文京区本郷1-28-36
TEL 03-3814-8515（営業）
03-3814-8732（編集）
http://www.perikansha.co.jp/
印刷所　　株式会社太平印刷社
製本所　　鶴亀製本株式会社

ISBN978-4-8315-1581-0　Printed in Japan

＊「なるにはBOOKS」シリーズは重版の際、最新の情報をもとに、データを更新しています。

【なるにはBOOKS】

税別価格 1170円〜1600円

1——パイロット
2——客室乗務員
3——ファッションデザイナー
4——冒険家
5——美容師·理容師
6——アナウンサー
7——マンガ家
8——船長·機関長
9——映画監督
10——通訳者·通訳ガイド
11——グラフィックデザイナー
12——医師
13——看護師
14——料理人
15——俳優
16——保育士
17——ジャーナリスト
18——エンジニア
19——司書
20——国家公務員
21——弁護士
22——工芸家
23——外交官
24——コンピュータ技術者
25——自動車整備士
26——鉄道員
27——学術研究者(人文·社会科学系)
28——公認会計士
29——小学校教諭
30——音楽家
31——フォトグラファー
32——建築技術者
33——作家
34——管理栄養士·栄養士
35——販売員·ファッションアドバイザー
36——政治家
37——環境スペシャリスト
38——印刷技術者
39——美術家
40——弁理士
41——編集者
42——陶芸家
43——秘書
44——商社マン
45——漁師
46——農業者
47——歯科衛生士·歯科技工士
48——警察官
49——伝統芸能家
50——鍼灸師·マッサージ師
51——青年海外協力隊員
52——広告マン
53——声優
54——スタイリスト
55——不動産鑑定士·宅地建物取引主任者
56——幼稚園教諭
57——ツアーコンダクター
58——薬剤師
59——インテリアコーディネーター
60——スポーツインストラクター
61——社会福祉士·精神保健福祉士
62——中小企業診断士
63——社会保険労務士
64——旅行業務取扱管理者
65——地方公務員
66——特別支援学校教諭
67——理学療法士
68——獣医師
69——インダストリアルデザイナー
70——グリーンコーディネーター
71——映像技術者
72——棋士
73——自然保護レンジャー
74——力士
75——宗教家
76——CGクリエータ
77——サイエンティスト
78——イベントプロデューサー
79——パン屋さん
80——翻訳家
81——臨床心理士
82——モデル
83——国際公務員
84——日本語教師
85——落語家
86——歯科医師
87——ホテルマン
88——消防官
89——中学校·高校教師
90——動物看護師
91——ドッグトレーナー·犬の訓練士
92——動物園飼育員·水族館飼育員
93——フードコーディネーター
94——シナリオライター·放送作家
95——ソムリエ·バーテンダー
96——お笑いタレント
97——作業療法士
98——通関士
99——杜氏
100——介護福祉士
101——ゲームクリエータ
102——マルチメディアクリエータ
103——ウェブクリエータ
104——花屋さん
105——保健師・養護教諭
106——税理士
107——司法書士
108——行政書士
109——宇宙飛行士
110——学芸員
111——アニメクリエータ
112——臨床検査技師
113——言語聴覚士
114——自衛官
115——ダンサー
116——ジョッキー·調教師
117——プロゴルファー
118——カフェオーナー·カフェスタッフ·バリスタ
119——イラストレーター
120——プロサッカー選手
121——海上保安官
122——競輪選手
123——建築家
124——おもちゃクリエータ
125——音響技術者
126——ロボット技術者
127——ブライダルコーディネーター
128——ミュージシャン
129——ケアマネジャー
130——検察官
131——レーシングドライバー
132——裁判官
133——プロ野球選手
134——パティシエ
135——ライター
136——トリマー
137——ネイリスト
138——社会起業家
139——絵本作家
140——銀行員
141——警備員·セキュリティスタッフ
142——観光ガイド
143——理系学術研究者
144——気象予報士・予報官
145——ビルメンテナンススタッフ
146——義肢装具士
147——助産師
148——グランドスタッフ
149——診療放射線技師
150——視能訓練士
151——バイオ技術者·研究者
152——救急救命士
153——臨床工学技士
154——講談師・浪曲師
155——ＡＩエンジニア
補巻21 医薬品業界で働く
補巻22 スポーツで働く
補巻23 証券·保険業界で働く
補巻24 福祉業界で働く
補巻25 教育業界で働く
補巻26 ゲーム業界で働く
別巻 学校図書館はカラフルな学びの場
別巻 東京物語散歩100
別巻 学校司書と学ぶレポート·論文作成ガイド
別巻 ミュージアムを知ろう
別巻 もっとある!小中高生におすすめの本220
別巻 中高生からの防犯
学部調べ 看護学部·保健医療学部
学部調べ 理学部·理工学部
学部調べ 社会学部·観光学部
学部調べ 文学部
学部調べ 工学部
学部調べ 法学部
学部調べ 教育学部
学部調べ 医学部
学部調べ 経営学部·商学部
学部調べ 獣医学部
学部調べ 栄養学部
学部調べ 外国語学部
学部調べ 環境学部
学部調べ 教養学部
学部調べ 薬学部
学部調べ 国際学部

※一部品切·改訂中です。　2021.03.